C000052436

As Gaoth Dobhair i dTír Chonaill d'Eoghan Mac Giolla Bhríde agus cónaí air faoi láthair i mBaile Átha Cliath. Is é seo a thríú cnuasacht gearrscéalta. Foilsíodh *Idir Feoil is Leathar* (Coiscéim) in 2002 agus *Díbeartaigh* (Coiscéim) in 2005. D'aistrigh sé an leabhar *An Prionsa Beag* (Éabhlóid) ón Fhraincis in 2015. Bhí sé mar eagarthóir ar leagan úr den leabhar *Cáitheadh na dTonn* le Muirghein agus ar an bhailiúchán tomhasanna *Tomhas Orm, Tomhas Ort!* Is scríbhneoir scripte scannán é agus bhí sé ina chomhscríbhneoir ar na scannáin *Silence* (Harvest Films, 2012) agus *Song of Granite* (Marcie Films, 2017).

Cnámh
An chéad chló, 2020
© Éabhlóid
100 Cuarbhóthar Thuaidh
Baile Átha Cliath 7

www.eabhloid.com

Cóipcheart © Eoghan Mac Giolla Bhríde, 2020
Leagan amach agus clóchur: Caomhán Ó Scolaí
Clúdach: Seán Cathal Ó Coileáin
Buíochas le Mícheál Ó Domhnaill

ISBN: 978-1-9160470-3-7

Gach ceart ar cosnamh. Ní ceadmhach aon pháirt den fhoilseachán seo
a chóipeáil ná a mhacasamhail a dhéanamh ar dhóigh ar bith, bíodh sin
trí fhótachóipeáil nó trí scanadh, go leictreonach, go meicniúil, bunaithe
ar thaifeadadh nó eile, gan cead a fháil roimh ré ó na foilsitheoirí.

Arna chlóbhualadh in Éirinn ag Johnswood Press Ltd.

eolas@eabhloid.com

CNÁMH

~~EOGHAN MAC GIOLLA~~ BHRÍDE

ÉABHLÓID

Ní gan chiall a léirítear Cronas sa mhiotaseolaíocht ag alpadh siar agus ag díleá cloch: nó na rudaí sin nach féidir a dhíleá ar bhealaí eile; an léan, an leatrom, an chailliúint, an tocht agus an brón, is é am amháin a dhéanann iad siúd a dhíleá.

— Arthur Schopenhauer

Do mo mhuintir

CLÁR

An Gunna

Nuair a tháinig an Dubhaltach isteach ón gharáiste tráthnóna, bhí an madadh isteach roimhe. Síos i lár an urláir leis an mhadadh agus sheasaigh ag an tsornán lena theanga amuigh. Lig sé méanfach bhalbh agus shín faoin tine lena dhá shúil sáite sa Dubhaltach.

'Maram go bhfuil muid ag gabháil a dhéanamh oíche eile dó anocht?' arsa an Dubhaltach. 'Dá bhfaighinnse dhá amharc orthu....'

Ní bhfuair an Dubhaltach aon néal codlata le trí oíche agus, cosúil le achan rud, d'iompair sé mar dhualgas é. Nuair a shuigh sé lena bhróga troma a bhaint de, tháinig néal trasna a intinn agus amhail is go raibh an tsnaidhm idir a chorp agus a intinn scaoilte, d'oibir a lámha astu féin. Tharraing sé air bróga éadroma agus d'fhág an péire trom cois tine. Thóg sé an clár den tsornán agus shá dhá fhód isteach ar a bhéal. Bhog sé an citeal anonn ar an teas agus d'fhoscail doras íochtarach an tsornáin gur chuala an bladhaire ag búirthí istigh.

'An gcuirfidh mé síos ubh?' a scairt sé.

Níor thug aon duine freagair.

Thóg sé dhá ubh ón chuisneoir. Chuir sé i sciléad beag dubh iad a líon sé ón chiteal go raibh dhá chloigeann bhlagadacha ag briseadh os cionn an uisce. Thóg sé muga anuas ón phrios agus cupa a raibh cluas fhíneálta air. Bhog sé go mall, ag tarraingt na gcos. Nuair a thóg sé na screabacha, a bhí i mbabhal san fhuinneog, d'éirigh an madadh ina sheasamh. Scríob an Dubhaltach lán an bhabhail amach ar chlár stáin brioscaí agus chuir faoi shoc an mhadaidh é.

'Coilí maith é sin.'

Chuala sé a bhean ag bogadaigh thíos fán tseomra agus seo aníos í le seanchathaoir mhór adhmaid. Choimhéad sé í ag cúlú isteach an doras agus an tseanchathaoir á tarraingt aici ina diaidh. D'fhág sí an chathaoir i lár an urláir agus ba sin an uair a thug sí fá dear a fear céile.

''Bhfuil sé an t-am sin?' a dúirt sí. 'Níl stioc ocrais orm.'

Shiúil sí anall ag an tine. 'Creidim nach seasann sac folamh,' arsa sise. 'Tá an citeal sin ag cur amach a thóna!'

Choimhéad a fear céile í ag siúl trasna an urláir agus ag ní a lámh sa doirteal.

'Caithfidh tú a bheith conáilte amuigh sa bhóitheach...' arsa sise, ag amharc amach ar an spéir dhúghorm.

D'fhliuch sé an tae i dtaephota stáin agus thóg sí féin solamar as an chuisneoir.

'Cha dtearn tú bonnóg ar bith inniu!' arsa seisean. 'Cá bith tháinig ort!'

Rinne sí neamhiontas dó, nó ní dhearnadh bonnóg sa teach le deich mbliana.

Nuair a bhí an tae tarraingthe agus na huibheacha bruite ar an tábla rompu, thóg an Dubhaltach na cnaipí agus chuir sé ag gabháil an teilifís ag bun an tseomra. Fuair sé an nuacht agus shuigh an bheirt ina dtost ag ithe an tae agus ag éisteacht le scéalta an lae. Nuair a bhí a hubh ite aicise, rinne sí ceapaire leis an mhuiceoil fágtha ón dinnéar agus d'fhoscail seisean canna éisc agus d'ith as le spanóg, gan a shúil a bhaint den teilifís.

'Go sábhála Dia sinn,' a dúirt sise, nuair a tháinig droch-scéal air.

'Nach olc sin!' arsa seisean.

Nuair a bhí an nuacht thart, choimhéad siad réamhaisnéis na haimsire agus mhúch sé ar fad é. Shuigh sé sa tsuaimhneas ag piocadh a fhiacla le scian ghéar agus ag diúl fríd a chár.

'Chan fhaca tú rud ar bith thíos ansin thíos inniu?' arsa Siobhán.

'Dheamhan a dhath ... tá mé ag gabháil siar ceann de na laetha seo go gceannóidh mé gunna.'

Le trí oíche anuas bhí an Dubhaltach cráite, é muscailte as a chodladh ag an mhadadh a bhí ag doicheall roimh rud inteacht taobh amuigh, rud nach bhfuair sé réiteach air go fóill.

'Beidh drochdheireadh air seo,' arsa sise, 'más ag caint ar ghunnaí atá tú!'

Ba é Flaidh a mhuscail as a chodladh é an chéad oíche lena thafann. Luigh an Dubhaltach tamall fada ag éisteacht sa dorchadas ach lean Flaidh den challán.

'Níl sé ag cur le Flaidh a bheith ag tafann i lár na hoíche,' a smaointigh sé, ag éirí as an leaba go ciúin, ar fhaitíos cur isteach ar a bhean a bhí ag srannfaigh go híseal. Rinne sé a bhealach thart sa dorchadas go dtí an fhuinneog.

Ón chuil a bhí ar an mhadadh, bhí a fhios aige nach gnáth-thafann a bhí ann.

Chuir an Dubhaltach a shoc amach idir na cuirtíní. Bhí an ghealach lán agus é chomh geal le lá amuigh, ach bhí scáilí dubha á gcaitheamh ag gach cruth sa chlós. Chonaic sé an madadh go soiléir i lár an léana ag drann-thafann leis na crainn, a chorp rite leis an tsaothar mar mhadadh réidh le hionsaí.

Dhearc an Dubhaltach go géar síos sna crainn ag tóin an gharraidh ach ní raibh le feiceáil ach dosán dorcha ag caitheamh scáile i mbun an chuibhrinn. Cibé rud a bhí á chrá, bhéarfadh an tafann air cúlú siar sna crainn. Madadh maith a bhí i bhFlaidh agus ní bheadh sé amuigh as an scioból ag tafann gan chúis, dar leis an Dubhaltach. Chaithfeadh sé go raibh duine inteacht i bhfolach sna crainn, munar broc nó ainmhí fiáin eile a bhí ann. Ar an dumhaigh, rachadh Flaidh a thochailt sna brocacha agus sna poill choiníní go dtí nach mbeadh le feiceáil ach a ruball agus bheadh obair ag an Dubhaltach é a tharraingt as. Dar leis, dá mba bhroc a bhí ag Flaidh anocht, go leanfadh sé é agus gur dheamhan arbh eagal dó a ghabháil síos go bun an léana.

Bhog a bhean sa leaba agus chuala an Dubhaltach guth codlatach. 'Goidé faoi Dhia…? Tar isteach a luí leat!'

Bhí a fhios aige go raibh sí ina suí suas ach lean sé leis ag stánadh isteach sna scáilí. Anois is arís, stadfadh an madadh a thafann agus d'amharcfadh sé thart air lena chluasa san aer. Chomh luath is a shílfeadh an Dubhaltach é a bheith déanta leis, thabharfadh sé cúpla coiscéim chun tosaigh agus thoiseodh an tafann arís.

Chruinnigh ceo siocáin go híseal os cionn an fhéir agus bhí an Dubhaltach ábalta a anáil a fheiceáil roimhe, ach choinnigh sé a dhá shúil sáite sa daille, go dtí sa deireadh go bhfuair an fuacht an bua agus bhí air pilleadh faoin chuilt agus ar theas na leapa. Luigh sé ansin ag éisteacht leis an tsíorthafann ag polladh an tsuaimhnis agus ag éisteacht le gach trup agus gliúrascnach a lig an teach i gcaitheamh na hoíche.

I ndiaidh an tae, chuir sise ar shiúl na soithí agus chuaigh seisean amach fá choinne bucáid mhónadh. Ní raibh an ghealach ina suí agus bhí an oíche dubh. Líon sé an bhucáid sa dorchadas. Bhí an spéir glan. Sheasaigh sé ag béal na cruaiche ag amharc anonn ar bharr Chnoc Fola a bhí le feiceáil ina scáile soir uaidh. Bhí sreang de shoilse síos an cnoc agus iad ag preabadaigh san aer gheimhriúil. Bhí teach na comharsan lasta fá ghiota anonn uaidh agus cúpla teach saoire i ndorchadas. Bhí achan rud ciúin diomaite de chúpla carr ag gabháil siar agus aniar an bóthar thíos uaidh. Thug sé fá dear nach raibh fuaim ar bith ón fharraige. Mhothaigh sé go dtug an easpa fuaime sin láithreacht bhreise don fharraige anocht.

Sula dteachaidh sé isteach leis an bhucáid, thart leis go doras an gharáiste go bhfiachfadh sé an glas. Bhí an doras druidte teann.

Ag teacht isteach dó, bhí sise ina suí agus a cosa sínte ar stól roimpi. Bhí na stocaí di agus í ag gearradh a hingne le siosúr beag; salachar de dhusta bán ó na hingne ar an stól.

Thóg sé bucáid an ghrabhair agus chuaigh sé amach athuair. Bheir sé ar an ghraeipe agus thoisigh ag líonadh na bucáide. Bhí cos an ghraeipe mín le hobair faoina lámha. Mhothaigh sé a bhealach sa dorchadas gur líon sé an bhucáid lán de chuthráin agus de ghrabhar mónadh.

'Tchítear domh go bhfuil an mhóin ag ídiú iontach gasta as an chruach sin amuigh,' arsa seisean ag teacht isteach dó.

'Chan iontas sin, leis an tréimhse dhrochaimsire atá curtha isteach aige.' Chuir sí ar shiúl a cuid acraí sa bhocsa fuála. 'Nach bhfuil muid ag gabháil 'na faire?'

Bhí dearmad glan déanta ag an Dubhaltach ar an fhaire agus dearmad déanta aige fosta ar an fhear a bhí marbh. Bhí air é a shamhlú arís sínte sa chónair agus na haghaidheanna cruinnithe isteach i dteach na faire.

'Is fearr dúinn é a fháil amach as an bhealach,' arsa seisean.

Chuir sé air a chóta mór agus shlíoc sé siar a ghruaig sa scáthán. Chorraigh sé an madadh óna chúinne cois tine agus, in éadan a thola, shiúil an madadh síos go dtí an doras.

Chuir sise uirthi cóta agus chas scairf éadrom fána ceann. Chuir sé cuma chráifeach uirthi, dar leis. 'Tá tú cosúil le bábóg Rúiseach, leis an mhéid éadaigh atá ort,' arsa an Dubhaltach, á comóradh amach an doras leis an mhadadh. D'fhág sé soilse an tí ar lasadh agus chuir sé an eochair ina phóca.

'Sin an dara duine anois le seachtain,' a dúirt sise sa charr.

'Rud nach dtug mé isteach dó ariamh,' arsa an Dubhaltach, 'ná pisreogaí!'

Thiomáin sé go mall cúramach go teach na faire.

Bhí an teach lasta agus sruth daoine aníos an cabhsa. D'aithin an Dubhaltach an chuid is mó de na daoine ach níor stad sé le labhairt. Bhraith sé go raibh siad i ndiaidh cuid dá mbuaireamh a fhágáil ina ndiaidh.

Rinne ró cultacha dubha an t-eolas daofa isteach sa tseomra ina raibh an corp. Chroith siad lámh leo, duine ar dhuine, go bhfuair siad iad féin sa tseomra leis an fhear mharbh. Bhí bean an fhir mhairbh ina suí ag barr an tseomra ag séanadh an bháis.

Sheasaigh an Dubhaltach agus a bhean go socair ag taobh na cónra. D'amharc an Dubhaltach ar an fhear a bhí ina dhealbh fhuar sínte roimhe agus níor chlis sé. Ba sheanchara leis é. Thoisigh sé ag rá paidir ina intinn ach ní bhfuair sé leath bealaigh fríd gur eitil an phaidir as a cheann. Mhothaigh sé go raibh an corpán ag preabadh le brí agus go raibh a chorp féin righin. Smaointigh sé ar an fharraige. Bhí láithreacht ag an fhear mharbh nach raibh ag na daoine beo. Dhruid sé a shúile agus rinne iarracht a chara a shamhlú ina fhear óg ach smaointigh sé air féin ina sheasadh sa tseomra ag smaointiú ar an fhear mharbh. D'amharc sé ar an fhear mharbh a fhad is a thiocfadh leis le cuimhne a choinneáil air. D'amharc sé ar na coinnle agus ar bhabhal an uisce choisreactha ag ceann na leapa agus dhruid sé a shúile. Bhí bladhairí na gcoinneal dóite isteach ina shúile. 'Ní Diabhal ná Dia an bás,' a smaointigh sé, 'ach mar bheadh bacach ó theach go teach a dh'iarraidh déirce.'

D'fhoscail sé a shúile agus choisric é féin. Chuir a bhean a lámh ar lámha an fhir mhairbh. Bhrúigh sí an corp uaithi go héadrom agus mhothaigh an Dubhaltach go raibh sí ag titim. Chuir sé lámh taca faoina hascaill. Chuaigh siad fhad leis an bhaintreach agus rinne comhbhrón. Bhí trua ag an Dubhaltach di, ní hamháin de bharr go raibh a fear marbh, ach go raibh sí léi féin.

Lean sé a bhean síos an halla fríd na cultacha dubha go dtí an seomra suite agus shuigh siad sa chéad áit a bhfuair siad cúpla stól. Bhí an seomra lán daoine, cuid acu a d'aithin siad. Bhí tine ghuail ag caitheamh amach teasa. Bheannaigh an Dubhaltach daofa siúd thart air agus tháinig an comhrá thart arís ina chogar gur ghairid go raibh monabhar cainte sa tseomra. Labhair a bhean leis na daoine a ba chóngaraí di agus bhí lúcháir air í a bheith leis.

Thiontaigh an Dubhaltach chuig an fhear ag a thaobh a bhí ina shuí go stuama: 'Cén ráth atá oraibh uilig thuas?'

Shuigh sé suas: 'Tá go measartha, a Dhubhaltaigh.'

'Creidim go mbíonn do sháith barr curtha agat!'

'Leoga, cha bhíonn níos mó ... fán am a mbím sa bhaile ón obair, cha bhíonn mórán fonn oibre orm.'

'Agus caidé an obair atá sibh ag gabháil de an aimsir seo?' arsa'n Dubhaltach.

'Ag cuileáil carrianna atá muid le cúpla seachtain ... beidh an séasúr ag druid agus leoga drochgheimhreadh déanta aige agus tá muid amuigh lá agus oíche.'

Chuir an Dubhaltach gron ann seo. 'Agus caidé'n dóigh a ndéanann sibh iad a chuileáil?'

'Á tá ... níl ach aon dóigh amháin ... iad a scaoileadh! Urchar idir an dá shúil nó glan fríd an dá ghualainn.' Dhruid sé súil amháin agus d'fhéach anonn ar leathshúil ar an fhear anonn uaidh, a cheann ar sliú.

D'amharc an Dubhaltach san áit a raibh sé ag amharc ar fhear leathan le cloigeann dhearg a bhí ag amharc ar ais air.

'An príomhrud,' a lean sé air, 'ná na hainmhithe is laige a mharú ag tús an gheimhridh sa chruth is nach mbíonn siad ag fulaingt fríd an drochaimsir — ach bíonn feoil mhaith orthu fosta!'

'Cuirfidh mé geall!' arsa an Dubhaltach.

'Ó, mairg...' a dúirt a bhean chéile, a bhí ag éisteacht.

'Thiocfadh liom píosa den fheoil a chaitheamh istigh agaibh lá inteacht ... dá mbeadh dúil agaibh. Bíonn neart dó ann agus deacair go leor réitigh a fháil de corruair.'

'Nár mhaith sin! Chuirfeadh muid fáilte mhór roimh, nach gcuirfeadh?' arsa seisean, ag tiontú chuig a bhean.

Siúd isteach sa tseomra le beirt pháistí agus thug siad rúchladh ar an tábla os coinne na tine. D'éirigh iomardas eatarthu faoi cé a chuirfeadh thart pláta na milseán. Bhreith an duine a ba shine ar an phláta agus lean an gasúr beag thart í ag ofráil milseán. Ba ghairid go raibh achan duine ag diúl agus ag cognadh.

Tháinig cúpla comharsa eile aníos ón tseomra agus ghlac an chuid a b'fhaide a bhí istigh a leithscéal le himeacht. Thit ciúnas ar an tseomra arís.

'Agus cogar mé seo...,' arsa an Dubhaltach, ag tiontú chuig

a chomharsa arís. 'Caidé'n sórt gunna a d'úsáidfeá le carria leagaint?'

Chrom an fear chun tosaigh, ag casadh páipéar an mhilseáin idir a mhéara: 'Raidhfil maith ... agus súil ghéar.' Chogain sé an milseán. 'Orlach amháin ró-íseal agus ní mhuirfidh tú an carria ... ansin, tá tú sa tóir ar ainmhí loite. Orlach nó dhó ró-ard agus caillfidh tú an marc ar fad agus gheobhaidh sí ar shiúl. Obair achrannach go leor. Chan duine ar bith go díreach a thiocfadh tabhairt faoi.'

'Agus caidé fá na gunnaí gráin ... an bhfuil cur amach ar bith agat orthu?'

Shuigh sé suas. 'Sin rud eile ar fad. Scaoilfeadh fear ar bith gunna gráin, ach ní thabharfá anuas carria le ceann ... dheamhan é! Ní dhéanfá ach é a loiteadh agus b'fhéidir gur bás fadálach a gheobhadh an créatúr leis an chreach ag déanamh angaidh. Tá an gunna gráin go breá fá choinne préachán nó éanlaith den chineál sin.'

'Sin an rud atá 'mo chrá féin, diabhal de chearc fheá atá ag gabháil thart fán teach ag tochailt suas an gharraidh orm. Dá mbeadh gléas agam réitigh a fháil de.'

'Tá gunna gráin fán teach agamsa, d'fhéadfainn é a chaitheamh thíos agat.'

Labhair siad tamall eile fá ghunnaí agus fá cheadúnais, gur mhothaigh an Dubhaltach a bhean ag éirí mífhoighdeach agus d'éirigh siad le himeacht.

'Fágfaidh mise sin thíos agat lá inteacht amach anseo,' a dúirt an fear ag imeacht daofa.

Nuair a shuigh sé sa charr, mhothaigh an Dubhaltach cronú aisteach ina chroí. Thiomáin sé 'na bhaile go stuama staidéarach.

Bhí an teach lasta mar a d'fhág siad é. Ní raibh an madadh

le feiceáil. Bhain sé an glas den doras dona bhean agus chuaigh sé siar go dtí an scioból. Chuir sé a lámh thart le hursain an dorais agus las sé an solas. Bhí an madadh ina luí ina bhocsa agus a cheann faoi. D'amharc sé suas go brónach ar a mháistir agus lig geoin as.

'Coilí maith,' arsa an Dubhaltach, á chuimilt fán mhuineál. 'Coinneoidh muid súil mhaith ar a chéile.'

Bhí a bhean ar a glúine ag an tine ag cur amach luatha sa tseomra suite ag teacht isteach dó. Shuigh sé ina chathaoir agus thoisigh a fliceáil fríd na stáisiúin.

'Tá súil agam nach mbíonn oíche eile tafainn againn,' arsa sise. 'Ní chodlóidh muid néal go maidin.'

Ba é an scéal céanna é an oíche sin. Thart ar a dó a thoisigh sé. D'éirigh an Dubhaltach agus bhuail air péire brístí agus stocaí agus tharraing sé air cóta mór. Níor las sé solas. Shiúil sé amach go dtí an phóirse, áit a raibh dhá fhuinneog óna dtiocfadh leis amharc amach ar an léana agus ar dheis i dtreo an sciobóil. Sheasaigh sé sna scáilí ag fiaradh a shúl amach sa dorchadas. Cha raibh dadaidh le feiceáil. Chuaigh an madadh anonn is anall os coinne an tí agus níor stad sé a thafann. Ansin, thíos in íochtar an léana ag bun na gcrann, shíl an Dubhaltach go bhfaca sé solas beag dearg. Sheasaigh sé sa choirnéal ag cur saothair ar a shúile ag iarraidh aimsiú caidé a bhí ann ach d'imigh an solas arís mar a tháinig sé. Chuala sé trup thíos fán tseomra. Chuala sé doras an tseomra ag foscailt agus duine inteacht ag úthairt sa dorchadas. Las a bhean an solas agus chuaigh sí isteach go dtí an leithreas. D'éist sé gur phill sí a luí.

Bhí tábla beag sa phóirse le planda air; thóg sé síos an planda agus shuigh ar an tábla. Bhí an ghealach ag caolú agus cuil uirthi. Chuala sé an ghaoth ag séideadh thart fá bhallaí an tí. Choinnigh sé ag amharc síos san áit a bhfaca sé an solas dearg ach ní raibh sé ábalta a dhath iontach a feiceáil. Bhí na scáilí ag bun an léana ag luascadh agus ag dul i méid. Bhí an madadh ag tafann le rithim sheasta cosúil le hinneall nó le ceol.

Dá mbeadh gunna aige ligfeadh sé urchar isteach sna crainn. Dheamhan ar miste leis dá muirfeadh sé fear. Bheadh sé sásta é a fheiceáil sínte agus piléar ann; a dhálta sin, chuirfeadh sé áthas ar a chroí. Ní raibh a dhath le cailleadh aigesean sa cháil sin. Chodlódh sé go sámh ina dhiaidh sin. Bhí teannas ina ucht. Ag déanamh nach dtiocfadh leat a bheith beo i do theach féin fá shuaimhneas, dar leis gur sin an rud a ba mheasa amach.

Ó tharla nár thoisigh an tafann go raibh siad tamall ina luí, mheas an Dubhaltach go raibh siad ag fanacht leis an tseans ruaig a thabhairt ar an teach i lár na hoíche. Bhí siad ina seasamh sna scáilí ag fuireacht, ach bhí an madadh á gcoinneáil siar—ba é an madadh a bhí ag brath a gcuid drochrún agus á bhfógairt don tsaol, dar leis.

Chuaigh an fuacht go dtí an croí ann agus bhí a chnámha marbh leis. Shoilsigh solas trasna na spéire, ag scuabadh thart thar bharra na gcrann mar bheadh teach solais; las sé suas an póirse ar feadh seal beag. Carr a bhí ag teacht thart corradh i bhfad síos agus níor chuir an Dubhaltach iontas ar bith ann. Choinnigh sé ag amharc isteach sna scáilí. D'fheicfeadh sé cruthanna daoine agus gluaiseacht sna crainn agus ansin d'imeodh siad arís ina dtoit. D'éirigh na crainn iontach cóngarach, níos cóngaraí agus níos cóngaraí, nó go raibh siad abhus ag an fhuinneog agus gur bhris an dorchadas ina liathghorm agus ansin stad an tafann ar fad. Chonaic sé an madadh ina sheasamh os coinne an tí, é ag casadh ar a shála

SHADOW

agus ag siúl i dtreo an sciobóil. B'iontach leis an Dubhaltach seo. D'éirigh sé ina sheasamh agus d'fhan sé tamall ag amharc amach. Bhí deireadh socair.

Chuaigh sé isteach go dtí an seomra cúil áit a raibh radharc aige amach ar chruach na mónadh. Ní fhaca sé a dhath. Phill sé ar an phóirse. Bhí an madadh ar shiúl agus deireadh leis an tafann. Bhí an bhagairt thart. Sa deireadh, bhain sé a leaba amach.

'Nach trua muid,' arsa a bhean, de ghlór codlata, nuair a luigh sé isteach ag a taobh.

Luigh sé ar a dhroim ag éisteacht. Ní raibh le cluinstin ach a bhean ag análú ag a thaobh. Análú deas bog mar bhean a bhí ina codladh fá shuan.

Chodlaigh an Dubhaltach istigh lá arna mhárach cé gurbh annamh leis. Bhí an chisteanach lán toit mónadh. Bhí a bhean ina suí, an tine thíos agus an bricfeasta ite aici.

'Shílfeá gur éirigh tú...!' arsa sise. 'Tá brachán ansin ... beidh sé fuar faoi seo.'

D'fhoscail an Dubhaltach an simléar agus chroith sé an gráta. Shuigh sé go suaimhneach ag ithe an bhracháin, fad agus a sciúr sise na prátaí sa doirteal. Bhí an raidió mar thionlacan acu ach cha dtug ceachtar acu mórán airde air.

'Tá mé fá choinne dhul chun an bhaile mhóir, má tá a dhath a dhíobháil!' arsa seisean.

'Rachaidh mé leat,' arsa sise, 'tá go leor le fáil.'

'Má thabhrann tú domh an liosta, sábhálfaidh mé do shaothar duit.'

'B'fhearr i bhfad duit an t-airgead atá thiar sa drár agat a chur isteach thiar sa bhanc.'

Scríob an Dubhaltach an brachán ó thóin an phota isteach i gclár an mhadaidh agus d'fhuin sé dhá ghiota aráin isteach fríd lena chrág. Thug sé leis bucáid na mónadh agus amach leis.

Sheasaigh sé ag ceann an chlampa ag amharc ar an chruach agus ag análú aer na maidne. Bhí an drúcht ina shiocán bán ar an mhóin agus é ag loinnreadh sa ghrian. Chuala sé rothaí na gcarranna ar an bhóthar thíos uaidh.

Agus é ag líonadh na bucáide, shiúil Flaidh anall chuige ar nós cuma liom.

'Caidé bhí cur isteach ort aréir? Duine inteacht ag goid mónadh?'

Thóg sé an bhucáid agus lean an madadh isteach é.

Chuir sé an clár stáin ar an urlár agus d'alp an madadh siar a chuid.

'Madadh maith é sin!' a dúirt sé.   CHEESE

Dhoirt sé amach muga tae dó féin as an taephota. Chuir sé im ar dhá phíosa aráin agus ghearr píosa cáise le cur eatarthu. Bhí an domhan ag casadh ina cheann. Shuigh sé síos ag an tábla go trom.

'Tá drochchuma ort,' arsa a bhean.

'Tá mé chomh breá is a bhí in Éirinn,' arsa an Dubhaltach ag tógáil a chinn.

'Teas agus fuacht a fuair tú ... i do shuí amuigh sa tseomra bheag aréir,' ar sise.

Níor dhúirt sé dadaidh.

'Nach dtáinig mé ort i do chodladh amuigh ar an tábla agus tú conáilte. B'éigean tú a chur isteach a luí.'

'Char tharla a leithéid den tsórt!' arsa seisean.

D'ith sé a chuid agus chuaigh sé féin agus Flaidh amach le chéile.

Isteach chun an gharáiste leis agus thóg sé amach slat fhada adhmaid. Chuaigh sé thart go tanc an ola ar chúl an tí, bhain an clár den tanc agus chuir sé an tslat ina seasamh díreach istigh ann. Thóg sé amach an tslat agus scrúdaigh sé í.

D'fhan an Dubhaltach sa gharáiste ag obair ar a chuid rudaí go ham dinnéara agus nuair a tháinig an t-ocras, chuaigh sé isteach chun tí. Bhí an dinnéar réidh ag a bhean, an fheoil agus na glasraí amuigh ar an tábla. Nigh sé a lámha agus shuigh sé. Shil sise na prátaí agus d'fhág an sciléad lán i lár an tábla leis na prátaí ag gáire amach orthu.

'Bhí Peadar ag rá go mbeadh sé 'na bhaile ag deireadh an tsamhraidh, é féin is a bhean,' arsa sise, nuair a shuigh sí.

'Bhí tú ag caint leis?'

'Dúirt sé go dtiocfadh siad ag tús mhí Lúnasa.'

'Dá dtiocfadh sé i mí Iúil bheadh sé ábalta cuidiú liom an mhóin a thógáil!'

'Tá siad gnoitheach, dúirt sé, le hobair agus deireadh.'

Bhí an Dubhaltach ag streachailt le píosa feola a bhí rórighin ag a fhiacla bréige. Chaith sé an píosa leathchogainte ag an mhadadh. Léim an madadh ar an fheoil agus thug sé ar ais go dtí a choirnéal é.

'Ba cheart tú a thachtadh … ag cur amú feola,' arsa a bhean. 'Tá mé ag déanamh go bhfuil níos mó measa agat ar an mhadadh sin ná tá ort féin.'

Bhí an dinnéar ite nuair a tháinig an nuacht áitiúil ar an raidió. Thug siad leathéisteacht dó. D'fhliuch an Dubhaltach an tae agus nuair a tháinig na scéalta báis chas sé suas an fhuaim.

'Do bharúil an gcuirfidh siad san áit cheart muid?' ar sise. 'Má fhaighimse bás romhat, séard a chuirfidh siad le do mháthair thusa, agus má bhíonn tusa ar shiúl romham, nach tú a bheas uaigneach sa reilig úr … ach ní bheidh mise i bhfad i do dhiaidh, ná bíodh eagla ort!'

'Nach bhfuil a dhath eile agat le bheith ag caint air?'

'Muna n-insíonn muid daofa é, cá bhfios cá gcuirfear muid? Thig liom inse do Pheadar anois nuair a thig sé.'

'Chan fheicim go ndéanfaidh sé lá difir,' arsa seisean.

D'athraigh an Dubhaltach amach as a chuid éadaigh oibre agus chuir air léine, cídeog agus bróga snasta. Bhain sé an carr as an gharáiste agus chuaigh sé isteach leis an liosta siopála a fháil óna bhean agus d'imigh sé leis chun an bhaile mhóir. Chaith sé an lá ar an bhaile agus nuair a phill sé, thóg sé cúpla bocsa ón charr isteach go dtí an gharáiste. Nuair a tháinig sé ar ais chun tí, chonaic sé an píosa mór feola ar an tábla.

'Fear na gcarrianna a bhí anseo,' arsa a bhean. Bhí sí ina suí ag an tsornán agus a cos thuas aici ar stól. Bhí soitheach ungtha ar an stól agus í ag cuimilt an uachtair isteach i gcraiceann tirim a loirgín.

'An b'é sin a raibh leis?'

'Nach bhfuil barraíocht ansin féin,' arsa sise. 'Níl a fhios agam faoi Dhia caidé le déanamh leis. Cha dtig é a ligint amú!'

'Ach, ní raibh rud ar bith eile leis?'

'A dhath ar bith,' arsa sise.

Thóg an Dubhaltach an fheoil ina lámh. 'Agus caidé a bhí ag cur bhuartha air?'

'Dheamhan mórán … char fhan sé le cupa tae féin.'

'Creidim go n-íosfadh an madadh é,' arsa an Dubhaltach, ag fágáil na feola uaidh.

Ag cur amach an mhadaidh don Dubhaltach tráthnóna, sheasaigh sé ag corr an tí ag coimhéad síos ar bharra na gcrann ag bun an léana. Chroith na crainn go soineanta sa ghaoth ach oiread agus gur ag cur fáilte roimhe a bhí siad. Thíos ag a mbun bhí tuar tuathalach fúthu.

Choimhéad sé an madadh ag déanamh a bhealaigh go

drogallach i dtreo an sciobóil agus phill sé féin ar an teas. Bhí a bhean ag bualadh fóide isteach sa tsornán.

'Ná bí ag cur na mónadh uilig suas an simléar,' arsa seisean ag gabháil isteach sa tseomra suite.

Las an Dubhaltach na soilse uilig sa teach ag gabháil a luí dó an oíche sin. Las sé an solas amuigh ar chúl agus an solas os cionn an dorais tosaigh. Mhúch sé an solas sa tseomra leapa agus chuaigh sé isteach ag taobh a mhná. Bhí an raidió air go híseal aicise agus í cuachta suas ag éisteacht leis an cheol. Bhí an fhuaim mar fhuaim a thiocfadh na mílte míle trasna na farraige.

'Tá na soilse uilig lasta agat,' arsa sise.

'Tá!' arsa seisean.

Chuir sí as an raidió.

Luigh an Dubhaltach sa tsuaimhneas leis an tsolas ag síothlú fríd na cuirtíní agus ag lasadh an tseomra leapa.

Thit sé a chodladh sa deireadh.

Chodlaigh sé go sámh, gan tafann madaidh le cluinstin, go dtí a ceathair a chlog ar maidin nuair a bhuail an fón. Mhuscail an Dubhaltach ach níor chorraigh sé.

'Cé faoi Dhia ... ag an am seo?' arsa a bhean, ag tabhairt na huillinne don Dubhaltach.

D'éirigh sé chomh gasta is a tháinig leis, agus chuaigh sé amach ina fhobhríste go dtí an fón sa halla. Faoin am ar shroich sé an fón bhí sé stoptha arís. Thóg sé an fón, mar sin féin. 'Cé atá agam?' arsa seisean. ''Bhfuil duine ar bith ansin?'

D'fhan sé tamall ag éisteacht leis an nóta marbh ón fhón sular chuir sé síos arís é.

'Cé a bhí ann?' a dúirt a bhean.

'Duine ar bith,' arsa an Dubhaltach.

Luigh sé ag smaointiú. Bhí sé ábalta an solas amuigh a

fheiceáil lasta fríd na cuirtíní. Bhí ciúnas iomlán ann. Sa deireadh, d'éirigh sé agus chuir sé as na soilse uilig sa teach. Bhí sé deacair aige a dhul ar ais a chodladh.

Ar maidin bhí sé ina shuí luath. Chuir sé síos tine agus bhruith pota bracháin. Bhí an lá amuigh deileoir le ceathaideacha flichshneachta ag séideadh anuas ón chnoc. Chuir sé bia amach ar an chlár stáin do Fhlaidh.

Chuaigh sé amach go dtí an doras agus scairt sé ar an mhadadh. Níor tháinig sé. D'fhan sé tamall ag an doras. Bhí ráth cloch sneachta séidte suas ag céim an dorais.

''Bhfuil tú ag éirí inniu?' arsa seisean lena bhean sa tseomra leapa.

Bhog an cruth sa leaba. 'Bhí mé i mo chodladh go deas. Níor chodlaigh mé néal aréir leatsa.'

Thóg an Dubhaltach a chóta mór as an phrios agus d'fhág sé ar bhun na leapa é.

Labhair sise ón leaba: 'Nach greannmhar an bhrionglóid....' Shuigh sí suas. 'I ngaineamhlach a bhí muid. Bhí an aimsir te. Thall sa Spáinn, nó áit inteacht mar sin. Bhí an tír uilig dearg … bhí orainn siúl píosa fada. Bhí muid caillte agus mise ag iarraidh a ghabháil bealach amháin, an bealach mór … ach bhí tusa ár dtabhairt aichearra … thar chlocha. Ní éistfeá liom agus bhí sé ag éirí dorcha. Thiontaigh muid ar ais agus chuaigh muid an bealach mór sa deireadh. Bhí sé dubh dorcha nuair a shroich muid an baile. Bhí teach beag ann, cineál de gharradh thart air … shuigh muid amuigh ar stóltaí ag coimhéad spéir lán réaltóg a bhí uilig ag bruidearnaigh.... Shílfeá, dá sínfeá amach, go dtiocfadh leat do lámh a chur orthu. Dhruid na néalta isteach agus bhí orainn a dhul a luí. Sa leaba, le solas na gealaí san fhuinneog, thoisigh madadh a thafann. Bhí madadh amuigh sna crainn agus sin an rud a mhuscail mé sa deireadh, tá mé ag déanamh. Creidim go raibh sé in am agam muscladh.'

D'éirigh sí ansin agus choimhéad an Dubhaltach í ag siúl amach 'na leithris ina léine oíche.

Nuair a chuaigh sé amach athuair leis an mhadadh a ligint isteach, ní raibh an madadh le fáil. Chuaigh sé thart tóin an tí go dtí an scioból. D'éirigh cearc fheá as an fhéar, áit a raibh sí ag scríobadh, agus d'eitil sí go hamscaí amach thar an chlaí ag gocarsaigh. Bhí doras an sciobóil leathfhoscailte ach ní raibh an madadh ann. Ní raibh sé fá na bóithigh ach oiread.

Scairt sé agus rinne sé fead de ghlaic ach ní raibh gar leis, cha raibh staidhm ar an mhadadh.

'Caidé a thiocfadh air?' arsa seisean, nuair a tháinig sé isteach.

'Ar shiúl fríd an bhaile ag fáil a chuid ag na comharsana ... sin nó ar shiúl i ndiaidh caorach!' arsa a bhean.

Rinne an Dubhaltach místá: 'Ní bhíonn Flaidh ar shiúl i ndiaidh caorach.'

'Dá gcuirfeá glas mar is ceart ar dhoras an sciobóil, mar a dúirt mé...' arsa sise, ag bualadh fód mónadh isteach sa tsornán le scuab bheag, 'ní bheadh leath oiread trioblóide leis an mhadadh sin.'

'A bhean adaí ... nach é atá ag cur bac ar cibé dream atá ag teacht thart ag coinneáil súil orainn i lár na hoíche!'

Bhog sí an citeal anonn ar an teas. 'Tá tú féin agus an madadh sin chomh holc le chéile ... ag feiceáil rudaí!'

Lig an Dubhaltach air féin nár chuala sé, nó bhí a fhios aige an deireadh a bheadh air dá dtosódh an iaróg. D'éirigh sé agus d'imigh sé amach.

Shiúil sé síos go bun an léana os coinne an tí. Rinne sé a bhealach fríd na crainn, thar an fhéar agus lustan, ag coinneáil a shúil amach do rud ar bith neamhghnách.

Chuir sé a lámh ar bhun crainn a chuir sé dhá scór bliain ó shin nuair a pósadh iad.

Shiúil sé giota eile agus tháinig sé ar phaiste leathan a raibh an féar leagtha síos ann. Rinne sé staidéar air. Bhí an talamh fliuch agus an féar marbh ina luí trom ar an talamh. Bhí boladh dreoite san aer. D'amharc sé suas fríd na crainn ar an phóirse agus anonn ar an scioból.

Shiúil sé fríd na crainn agus amach thar an chlaí. D'amharc sé síos an cnoc thar na cuibhrinn i dtreo na farraige. Siar aduaidh bhí droim na mara le feiceáil ina leac liath ag síneadh go bun na spéire. Lig sé fead de ghlaic agus sheol an fhuaim amach thar na cuibhrinn fhliucha. Bhí sé leath ag dréim leis an mhadadh a theacht ag preabadh aníos an cuibhreann agus a theanga amuigh, ach níor tháinig. Shiúil sé amach go dtí an bealach mór agus tháinig thart aníos arís chun tí.

'Déan réidh fá choinne an tórraimh...' arsa an Dubhaltach ag teacht isteach dó.

'Níl mé ag gabháil!' arsa a bhean.

'Caidé atá ort?'

'Má théim síos 'na reilige 'mo chonáil féin, ní bheidh aníos orm!'

Bhí a fhios ag an Dubhaltach nach raibh maith a bheith ag caint. Chuir sé air geansaí olna faoina chulaith agus a chóta mór ina mhullach sin agus d'imigh sa charr.

Thiomáin sé siar thar bhóthar theach an phobail agus ghlac an bóthar síos i dtreo na dumhcha, ag coinneáil súil ghéar amach don mhadadh. Chuaigh sé síos go dtí an reilig agus pháirceáil taobh amuigh de na geaftaí. Bhí gaoth ghéar isteach ón fharraige agus cuma shneachta air. Tháinig sé amach as an charr agus ghearr sé trasna na dumhcha i dtreo an chladaigh. Shiúil sé soir ar fad go Gaoth an Choigil agus ó sin aniar arís go dtí an Trá Mhór ach ní raibh madadh ar bith le feiceáil. Nuair a bhí sé ag teacht ar ais anall ag Port an Madaidh Bháin bhí an tórramh ag teacht anuas Ard na gCeapairí. Bhí sé ina sheasamh ag na geaftaí nuair a tháinig an tórramh aníos bealach na reilige agus bhí an Dubhaltach ar tús an tslua ag gabháil isteach go dtí an uaigh i ndiaidh na cónra.

Nuair a phill sé 'na bhaile, bhí an dinnéar réidh ag a bhean. Bhí leadhb d'fheoil an charria amuigh ar phláta agus an ghal ag éirí as. Ghearr sé píosa feola dó féin agus píosa dá bhean. D'ith siad leo ar a suaimhneas.

'Nach bhfuil tú ag ithe do chuid feola?' arsa seisean léi.

'D'ith mé mo sháith.'

A chuid ite ag an Dubhaltach, d'éirigh sise agus chuir sí ar shiúl na gréithe. Shuigh sí arís agus d'amharc sí go truacánta ar a fear céille.

'Bhí Máirtín Threasa ar an fhón a fhad is a bhí tú ar shiúl.'

'Bhí sé é! Caidé a bhí ag caitheamh air?'

'Dúirt sé go bhfuair sé madadh marbh thíos ag bun an bhealaigh agus bhí sé ag déanamh gur cheart duit a ghabháil síos.'

'Á fuair! Ní bhfuair...! Cad chuige nár inis tú sin domh roimhe seo?'

Níor dhúirt Siobhán dadaidh. D'éirigh an Dubhaltach agus chuaigh sé amach.

Thiomáin sé síos go teach Mháirtín. Thaispeáin Máirtín an madadh marbh dó. Fuair siad mála garbh agus chuir siad beirt an madadh ina luí ar an mhála i mbút an chairr. Bhí sé chomh sioctha le clár.

Sheasaigh siad tamall.

'Beidh tú ag fáil madadh úr, a Dhubhaltaigh.'

'Dheamhan é anois ag m'aois-se. Ach caidé'n mhaith, agus daoine ag cur amach nimhe.'

Ag pilleadh suas go dtí an teach don Dubhaltach, thiomáin sé go mall. Ag barr na malacha stad sé an carr agus shuigh sé ansin tamall fada gan bogadh.

Thóg sé an madadh as an charr agus d'fhág ar urlár an gharáiste é.

Nuair a chuaigh sé isteach chun tí, fuair sé na fuinneoga uilig sa teach foscailte agus siorradh isteach fríd an teach. Istigh sa teach, bhí na doirse uilig ina luí foscailte.

Chuaigh sé thart a dhruid na bhfuinneog.

'Shiobhán ... caidé tá teacht ort?'

Ní bhfuair sé freagair ar bith. Chuaigh sé siar chun an tseomra agus fuair sé a bhean sa tseomra leapa spáráilte agus í ina suí ar an leaba.

'Caidé atá ort?' arsa seisean.

'Cúramach,' arsa sise. 'An bhfeiceann tú thall...? Tá sé ag iarraidh a bhealach a dhéanamh amach.'

Bhí a súil ar spideog a bhí ina sheasamh ar an dreisiúr.

'Cad chuige bhfuil na fuinneogaí uilig sa teach foscailte?'

'Ag iarraidh réitigh a fháil den tseanbholadh atá ann ... nuair a d'eitil an fear beag seo isteach. Goitse agus cuidigh liom é a ligint amach.'

D'éirigh sí ina seasamh go corrach.

'Cén boladh a bhfuil tú caint air?'

Chuaigh an spideog ar eiteoga fríd an tseomra. Chuaigh an Dubhaltach a dh'iarraidh é a scuabadh amach. Idir an bheirt acu d'éirigh leo sa deireadh an t-éan a threorú i dtreo na fuinneoige foscailte agus amach.

Dhruid an Dubhaltach an fhuinneog.

'Tá an teach conáilte agat.'

'Fuarú maith atá a dhíobháil leis na haicídeacha a mharú.'

'Ag gabháil as do mheabhair atá tú!'

Thug an Dubhaltach fá dear go raibh giorra anála ar a bhean. Shuigh sí síos ar an leaba.

'Tá mé ag plúchadh,' a dúirt sí. 'Tá achan rud isteach i mo mhullach.'

''Bhfuil tú ceart go leor? An dtig liom a dhath a dhéanamh duit?'

'Tá mé uilig te ... ach, tá mé go breá. Rachaidh sé thart...' a dúirt sí idir análacha.

Bhí crua uirthi análú.

'Shílfeá gur an bás atá agam!' arsa sise.

'Níl a fhios ag an bhás cá bhfuil tú,' arsa an Dubhaltach.

'An b'é madadh s'againne a bhí ann?'

''Sé, Flaidh bocht a bhí ann, ceart go leor.'

Shuigh sé síos ar an leaba lena bhean.

'B'fhéidir gurbh fhearr duit luí siar tamall?' arsa seisean.

'Tá mé go breá,' a deir sí.

Leis sin thit an solas sa tseomra le néal dorcha ag dul thart os a gcionn, agus ghealaigh an seomra arís ag dul thart dó. D'éirigh an Dubhaltach agus chuaigh sé go dtí an fhuinneog. Bhí radharc aige amach ar an gharradh. Nuair a chas sé thart bhí a bhean ina codladh ar an leaba. Thóg sé pluid agus chuir sé anuas uirthi é.

Chuaigh an Dubhaltach amach 'na gharáiste agus fuair sé canna peitril. Thóg sé buidéal ola agus thomhais amach braon de go cúramach. Mheasc sé an t-ola sa pheitreal agus líon sé an seá slabhrach go béal leis an mheascán. Shiúil sé síos go bun an gharraidh leis an tseá shlabhrach ina lámh go tiomanta.

Ghlac sé cúpla iarracht, ach nuair a bhí an seá ag reáchtáil tamall beag agus í ag gabháil go réidh, chuaigh sé suas chuig an chéad chrann giúise. Chuaigh sé isteach gar don stoc agus lig an lann anuas uirthi. Ghearr an tslabhra fríd mar im. Ghearr sé triantán ó thaobh amháin den stoc agus ansin ghearr díreach fríd ón taobh eile. Thit an crann go mall ag glafadh agus ag briseadh brainsí ar theacht anuas di. Bhí an t-allas leis anois agus a chroí aige i gceart. Ní raibh i bhfad go raibh an dara crann gearrtha agus an tríú ceann. Ghearr sé na géaga de na crainn a bhí ina luí. Roimh i bhfad, bhí na crainn go léir gearrtha go talamh agus radharc aige síos an mhalaidh, agus ón teach, bheadh radharc amach síos go bun na spéire.

Rinne sé cruach de na géaga gearrtha agus cruach eile de na smutáin agus chuaigh sé ar ais go dtí an garáiste leis an tseá shlabhrach. Nuair a bhí an obair déanta chuaigh sé isteach chun tí le Siobhán a chur ina suí go ndéanfadh siad réidh an tae.

Teasbhach Samhraidh

Chuaigh Cormac thart ar chúl an tí ag triail na bhfuinneog go bhfuair sé an ceann a ba scaoilte. D'oibir sé a mhéara idir an fhuinneog agus an fráma agus chroith sé í go dtáinig sí amach píosa. Mhothaigh sé ar nós go raibh lámh fhuar ag fuineadh a phutóg ach bhí a intinn géar. Shleamhnaigh sé scian bheag isteach sa bhearna agus dhing suas an laiste taobh istigh. D'fhoscail sé amach an fhuinneog go mall. D'fhan sé ciúin bomaite agus d'éist, ansin á tharraingt féin suas ar leac na fuinneoige, chuir sé isteach a cheann. Ní raibh ann ach go raibh go leor spáis dá chorp tanaí ach shleamhnaigh sé isteach go héasca mar bheadh eascann ann.

Thit sé ar an urlár. D'éirigh sé go gasta. Bhí an seomra dorcha agus ciúnas aisteach ann. Thóg sé amach a fhón póca lena bhealach a lasadh. I seomra cúng a bhí sé le leaba shingil sa choirnéal, bocsaí péinte agus rudaí fánacha ina luí thart. Dhruid sé an fhuinneog go cúramach gan an laiste a chur uirthi. Fuair sé an doras agus amach leis sa halla.

I lár an halla bhí staighre adhmaid lasta ag solas na sráide. D'fhoscail sé doras ar chlé a thug isteach sa phríomhsheomra é áit a raibh cistin agus seomra suite i gcuideachta. Bhí na cuirtíní druidte sa tseomra suite agus dallóga anuas ar fhuinneog na cistine. Shoilsigh sé a sholas thart ar an tseomra. Bhraith sé brat dorchadais thart air. Sheasaigh sé socair ag amharc thart tamall, ag smaointiú caidé ba cheart dó a dhéanamh. Ag taobh na teilifíse, bhí carn físdioscaí. Thóg sé ceann. Scannán a tháinig saor in aisce le páipéar nuachta. Thóg sé gléas na teilifíse agus bhrúigh an cnaipe dearg; las an teilifís, an fhuaim ag réabadh amach. Chuir sé a mhéar ar an chnaipe fuaime go gasta agus mhúch sé é. Líon solas na teilifíse an seomra. Shíl sé gur chuala sé trup. D'éist sé.

Mhothaigh sé deoir allais ag sileadh síos cnámh a dhroma. Níor chuimhin leis a leithéid d'oíche de theas meirbh samhraidh mar seo lena linn. Smaointigh sé go raibh an samhradh amach roimhe, na scrúduithe thart agus laetha fada díomhaoine aige lena rogha rud a dhéanamh.

Chuaigh sé go dtí an fhuinneog thosaigh agus d'amharc amach idir na cuirtíní agus an balla. Bhí an bóthar marbh. Cúlbhóthar cúng a raibh crág tithe air. Bhí solas go fóill sa spéir ó thuaidh agus ní dhearna an solas sráide a bhí os coinne an tí ach dreach uaigneach a chur ar an oíche. Bhí sé aisteach a bheith istigh sa dorchadas ag amharc amach. Bhí dúil iontach ina chroí nach dtiocfadh leis a cheansú agus nach raibh sé ábalta a mhíniú. Amanna bhíodh sé dúthuirseach lena shaol, fios aige go raibh saol mór amuigh ansin ag gabháil thart agus ní thiocfadh leis fanacht go bhfaigheadh sé amach ann mar is ceart.

D'amharc sé sa chuisneoir. Bhí cúpla canna beorach agus broc bídh ann a dtearn na húinéirí dearmad a chaitheamh amach sular phill siad 'na bhaile. Choimhéad seisean iad ag léimtí sa charr tráthnóna Dé Domhnaigh agus ag imeacht, an teaghlach uilig, ar ais go dtí an chathair. D'fhoscail sé doras an reoiteora. Cha raibh ann ach cúpla píotsa reoite agus leathmhála sceallóg. Thóg sé amach píotsa agus chuir sé an teas ag gabháil san oigheann.

Chuaigh sé ar ais chuig an chuisneoir agus thóg amach canna beorach agus shuigh ar an tolg ag coimhéad an phictiúir bhailbh sa tsuaimhneas.

Shíl sé go raibh sé greannmhar a bheith ag coimhéad na n-aisteoirí ag bogadh gan fuaim, go raibh cuma amaideach orthu. Smaointigh sé ar Shinéad. Dar leis go dtiocfadh leis gean as cuimse a bheith aige di, gurbh fhurast dó sin, gan aige ach smaointiú uirthi. Bhí sí níos dóighiúla agus níos meallacaí ná na mná ar an teilifís agus giota maith níos cliste, mheas sé. D'inseodh sé di faoi mar a bhris sé isteach i dteach saoire. Bhain sé cúpla súmóg as an channa ach d'éirigh sé bréan den teilifís agus d'éirigh sé. Shiúil sé thart ar an tseomra.

Bhraith sé go raibh rud inteacht folamh fán teach, go raibh rud áirithe in easnamh. D'amharc sé ar na grianghraif os cionn áit na tine. Lánúin agus a mbeirt chlainne. D'aithin sé na háiteacha: trá Mhachaire Chlochair, Gleann Bheatha. Bhí ceann ó bharr na hEaragaile; an ceathrar ag gáire go háthasach i dtreo an cheamara, sásta leis an mhéid a bhí bainte amach acu. Ní raibh sé ariamh ar bharr na hEaragaile. Smaointigh sé go rachadh sé suas lá inteacht gan mhoill. Thiocfadh leis iarraidh ar Shinéad, ach cé a bheadh gaibhte ag dreapadh suas cnoc?

Shiortaigh sé na drártha ach cha raibh a dhath fiúntach iontu. Bréagáin bhriste, acraí tí: rudaí gan úsáid. Shuigh sé ag an tábla agus d'ól sé bolgam eile as an channa. Mhothaigh sé é féin ag éirí súgach cheana féin. Smaointigh sé ar an teaghlach ina suí thart ar an tábla agus an t-athair ag scamhlaeir nó ag baint mealladh as na páistí. Bhí bréagáin shaora scaipthe fán urlár. Ag taobh na fuinneoige bhí teileascóp ar sheastán. D'éirigh sé agus scrúdaigh sé é. Níor úsáid sé ceann ariamh.

D'amharc sé amach arís idir an balla agus na cuirtíní. Cha raibh a dhath le feiceáil. Smaointigh sé ar an phíotsa agus bhain sé an clúdach de agus sháith san oigheann é. Shíl sé gur chuala sé trup agus stop sé socair ag coinneáil istigh a anála. Bhí drandán íseal ón oigheann leictreach. Choinnigh sé istigh a anáil bomaite iomlán agus lig sé air féin nach raibh sé ann ar chor ar bith. Shamhlaigh sé an teach gan é féin istigh ann. Lig an teach osna.

D'amharc sé fríd theidil na leabhar ar an tseilf. Úrscéalta rómánsacha agus leabhair mhóréilimh is mó a bhí iontu. Thóg sé amach ceann acu. Bhí an teideal scríofa i litreacha móra bocóideacha ar dhath an óir agus na fola. Thoisigh sé á léamh le solas na teilifíse. D'airigh sé go raibh na focail leamh agus páistiúil. I ndiaidh tamaill d'éirigh sé meabhrach i dtaca leis féin ina sheasamh ansin agus cá raibh sé. B'aisteach leis scéalaí an leabhair a bheith ag coimhéad amach air agus chaith sé uaidh an leabhar.

Las sé lampa sa choirnéal. Líon an solas buí an seomra agus chur sé as arís é. D'fhoscail sé doras an chuisneora agus cheap sé an doras le canna beorach. Dhoirt an marbhsholas amach sa tseomra. Rinne an cuisneoir crith fuaicht.

Amach sa halla leis. Thoisigh sé ag dreapadh an staighre go mall. Rinne an staighre srann le gach coiscéim. Shiúil sé leis suas isteach sa dorchadas ach bhí sé ábalta a bhealach a dhéanamh amach. Sheasaigh sé ag barr an staighre. D'fhoscail an doras ar chlé go mall agus chonaic sé cruth duine ina sheasamh sa doras. Shioc sé. Shíl sé gur á shamhailt a bhí sé. Labhair an cruth ina chogar: 'Cé sin?'

Chuaigh critheagla fríd. D'aithin sé an glór. 'Seán?' arsa seisean.

'Cé sin? Caidé tá tusa a dhéanamh anseo?'

35

'A dhath ar bith. Caidé tá tusa...?'

Bhí Seán ina sheasamh ina bhríste agus ina T-léine. 'Bhí trup bocht agat. Scanraigh tú an cac asainn.'

Stán Cormac air sa dorchadas.

D'fhoscail Seán isteach an doras agus bhí Cormac ábalta girseach a dhéanamh amach á gléasadh féin le solas fóin a bhí ar an leaba. Dúirt Cormac 'Haló' léi agus chrom sí a ceann.

Shuigh Seán ar an leaba ag tarraingt air a bhróga. Sheasaigh Cormac sa doras ag coimhéad ar an bheirt ag gléasadh. Bhí cineál d'aithne aige uirthise. Chonaic sé thart í ach ba as an taobh thoir den pharóiste í agus ní raibh siad ar an scoil chéanna. Bhí sí dóighiúil sa tsolas agus a sciatháin nochta mar shíoda airgid.

Bualadh trí chnag ar an doras tosaigh a thug ar Chormac coiscéim sciobtha a thabhairt isteach sa tseomra leapa.

'Cé sin?' arsa seisean.

Lean an bheirt eile á ngléasadh féin.

'Chonaic siad an solas!' a dúirt Cormac.

'Caidé atá tú 'caint air?' arsa Seán.

'Cé bith cé atá ag cnagadh thíos!'

Bheir Seán ar an fhón agus shiúil sé thart le Cormac amach an doras agus síos an staighre. Chuala Cormac an doras tosaigh ag foscailt agus Seán ag caint go híseal i nglór tapaidh.

Bhí an seomra níos dorcha anois ach bhí a shúile cleachtaithe leis.

Labhair an ghirseach den chéad uair: 'Sin Pól. Tá sé le muid a thabhairt síos chuig an tine.'

Bhí sí ag tarraingt na cuilte teann ar an leaba agus á slíocadh síos lena lámh. Bhí boladh milis trom sa tseomra.

'Agus tháinig sé go dtí an doras tosaigh ... fá choinne achan duine é a fheiceáil!' arsa Cormac.

Chuaigh sé amach go barr an staighre agus bhí an bheirt ina seasamh thíos sa doras fhoscailte.

'Druid an doras!' arsa Cormac i gcogar ard.

Síos an staighre leis agus bhí an fear eile istigh agus an doras druidte fán am a raibh sé thíos.

'Coinnigh an chloigeann,' arsa Seán.

'Feiceann achan duine an teach...!'

'An bhfuil rud inteacht ag dó...?' a d'fhiafraigh Pól.

Chuimhnigh Cormac ar an phíotsa. Chuaigh sé isteach chun na cistine.

Lean an péire eile é.

'Shílfeá go raibh cóisir ar siúl agatsa!' arsa Seán.

'Ar a laghad bhí mé ciúin agus chan fhaca aon duine mé.'

'Tá an diabhal teilifís ag gabháil agat...! Caidé 'tú choimhéad?' arsa Seán.

Thóg sé na cnaipí agus chaith sé é féin síos ar an tolg. Tháinig an ghirseach isteach agus shuigh sí ag a thaobh.

'Beoir,' arsa Pól ag feiceáil na cannaí sa chuisneoir. 'Ag iarraidh canna?' arsa seisean le Seán.

Bhí Cormac ag iarraidh an phíotsa the a bhaint as an oigheann.

'Úsáid seo,' arsa Pól ag caitheamh éadach soithí chuige. 'An dtig liom píosa a fháil? Tá mé stiúgtha.'

Chaith Cormac an píotsa ar an tábla agus tháinig an triúr eile thart ar an tábla. Shuigh siad síos agus rann Cormac amach an píotsa. 'Dá mbeadh a fhios agam go raibh cuairteoirí agam...' arsa seisean.

'Nach bhfuil plátaí ar bith againn?' a dúirt Seán.

'Ith amach as do lámh.'

'Blasta,' a dúirt Pól, ag séideadh an phíotsa agus ag baint plaic eile as.

D'fhoscail Seán a channa beorach agus d'ól sé braon.

Chuir an ghirseach ceol ag gabháil ar a fón agus d'fhág sí an fón i lár an tábla. Shuigh an ceathrar thart ag ithe píotsa agus ag éisteacht leis an cheol. Ansin bhris Seán amach ag gáire agus chuir a lámh suas leis an bhia a cheapadh.

Chuaigh an triúr eile a gháire agus d'ith siad an dara slios.

Ghlan siad suas ina ndiaidh. Ghlan Cormac an tábla leis an éadach soithí.

'Caidé a dhéanfaidh mé leis seo?' arsa an ghirseach ag tógáil bocsa an phíotsa.

'Tabhair domh...' Ghlac Seán an bocsa agus chuir sé isteach in áit na tine é.

'Ná déan...!' arsa Cormac, ach bhí sé rómhall. Bhí sé lasta aige agus solas na mbladhairí ag damhsa ar na ballaí.

'B'fhearr dúinn imeacht,' a dúirt Pól.

Thóg Seán an dá channa dheireanacha ón chuisneoir agus an canna a bhí ag coinneáil an dorais. Chuir Cormac as an teilifís. Sa dorchadas chonaic sé trí fhón ag snámh os a chomhair san aer. Chuaigh siad amach go dtí an halla. Thug Seán na cannaí do Phól le hiompar agus thóg sé eochair as a phóca. 'Lean do Phól. Glasálfaidh mise an doras.'

'Cá bhfuair tú an eochair?' arsa Cormac.

'Faoin bhairille gáis.'

Tharraing Pól a chochall thar a cheann agus lean siad amach an doras é duine ar dhuine. Rith siad síos an cabhsa fad agus a bhí Seán ag fágáil na heochrach faoin ghás.

Thóg Cormac isteach anáil d'aer te an tsamhraidh agus bhí sé lán de mhilseacht. Bheadh sé sé bliana déag i gceann coicíse, smaointigh sé, agus dheamhan rud a bhí ag gabháil a athrú sin.

Bhí an carr tarraingthe isteach i lána cúng. Léim an triúr

isteach. Dhúisigh Pól an t-inneall agus thiomáin sé amach ar an bhealach mhór. Léim Seán sa tsuíochán tosaigh. Píosa síos an bóthar las Pól soilse an chairr agus ghread siad leo ar a n-aistear.

Thoisigh Seán agus Pól a bhúirthí sa toiseacht. Bhí an fhuil ag bruith. Bhí Cormac sa chúl leis an ghirseach. Bhí Cormac é féin tógtha ach ní seo mar a shamhlaigh sé an oíche.

'C'ainm atá ort?' ar seisean leis an ghirseach.

'Úna.'

'Cormac.'

'Ó,' arsa sise, ar nós chuma liom.

'Sin Úna, a Chormaic,' a dúirt Seán, ag casadh thart sa tsuíochán.

'Tá a fhios agam,' a dúirt Cormac.

'Caidé a bhí tusa a dhéanamh sa teach?' a d'fhiafraigh Seán de.

'Ag amharc thart. Caidé fút féin?'

'Bhuel, tá a fhios ag achan duine caidé a bhí muidinne a dhéanamh. Tá muid ag gabháil a cheannacht, nach bhfuil, a Úna?'

'Cá bhfuil muid ag gabháil?' arsa Úna.

'Cá bhfuil mé agus cá bhfuil mé ag gabháil?' a scairt Seán.

Tharraing Seán buidéal as áit inteacht agus bhain an clár de. Chuir sé ar a cheann é. Shín sé an buidéal siar chuig Cormac, ag glanadh a bhéil le cúl a láimhe. 'Cuirfidh sin biongadh fríot,' ar seisean.

Thóg Cormac slog ón bhuidéal. Bhain sé an anáil de agus shín sé chuig Úna é. Chroith sí a ceann á dhiúltú.

Chas Seán suas an ceol gur líon an fhuaim an carr agus go raibh na fuinneoga ar crith. Chuir Cormac síos an fhuinneog. Bhí sé plúchtach sa charr, fiú ag an am seo d'oíche. Shéid an ghaoth isteach agus líon sé a chluasa. Luigh sé a cheann i dtreo na fuinneoige agus chuir amach a lámh. Bhí an t-aer te. Shamhlaigh sé go raibh sé i dtír eile. Chuaigh an carr siar an príomhbhóthar agus suas cúlbhóthar. Bhí an ceol ag réabadh agus an bheirt sa toiseacht ag scairtí thar an cheol. Bhí boladh an tsamhraidh ag meascadh le boladh cumhra na girsí ag a thaobh. Bhí sé ag iarraidh a bheith leis féin. Smaointigh sé ar Laura. Smaointigh sé ar Shinéad. Bhí Seán ag casadh thart sa tsuíochán agus ag scairtí le hÚna. D'amharc Cormac uirthi agus rinne siad gáire.

'Stad an carr. Stad anseo!' a scairt Seán.

Mhoilligh Pól an carr. Casadh síos an ceol.

'Seo an áit, tarraing isteach.' D'fhoscail Seán an doras. 'Goitsigí....'

Bhí siad ar bhóthar portaigh, i bhfad ó áit chónaithe. Léim sé amach: 'Seo libh ... seo libhigí.'

'Cá bhfuil muid?' a dúirt Úna ag éirí amach as an charr. 'Tá tú ar steallaí mire.'

Lean an triúr é.

'Cá bhfuil tú ag gabháil?'

'Leanaigí domhsa ... fan go bhfeice sibh.'

Threabh sé trasna an phortaigh, canna beorach ina lámh. Bhí sé geal go leor le do bhealach a dhéanamh. Bhí cúpla réaltóg le feiceáil agus bhí an ghealach ag éirí thoir.

'Níl mise ag gabháil amach ansin,' a dúirt Úna. 'Tá sé fliuch cáidheach.'

'Goitse.' Phill Seán chuici.

'Níl ciall ar bith leis seo....'

Thug sé síos an bruach iad. Bhí sé dorcha thíos ann. Bhí boladh na mbláth buí ón aiteannach. Thug sé thart taobh an bhruaigh iad áit a raibh poll dubh le fáil. Sheasaigh sé ag béal an phoill. Bhí raithneach ag fás thart fána bhéal.

'Amharc seo...' arsa seisean.

'Chan fheicimse a dhath...' arsa Úna.

'Bothán atá ann. Goitse isteach.' Thrampáil sé síos an raithneach, chrom sé agus chuaigh isteach san uaimh ar a cheithre bonnaí go dtí nach raibh sé le feiceáil.

'Goitse isteach,' a chuala siad ón pholl. 'Tá neart spáis ann.'

Las sé lasair agus chonaic Cormac a aghaidh lasta san uaimh.

'Cad chuige a dtug tú anseo muid?' a dúirt Úna.

Chuaigh Cormac isteach. Las seisean a fhón. Bhí áit seasaimh ann. D'amharc sé thart. Ní raibh ann ach pluais tochailte amach as taobh an bhruaigh. Bhí na ballaí glas le caileannógach agus fuarbholadh créafóige san aer.

'Caidé atá ann san áit seo?' a d'fhiafraigh Cormac de.

'Bothán. Bhí daoine ina gcónaí ann fada ó shin....'

Bhí leac íseal ag gobadh ó thaobh na huaimhe agus shuigh Cormac air.

'Tá mise ag pilleadh,' a dúirt Úna amuigh. 'Tá an áit seo creathnach.'

Chuala Cormac í féin agus Pól ag déanamh a mbealaigh ar ais fríd an scrobarnach. Thóg Seán amach bocsa toitíní agus shín ceann chuig Cormac.

'Ba ghnách linn a theacht anseo nuair a bhí muid níos óige,' arsa seisean. Dhearg sé toitín Chormaic.

Ní raibh cuma air go raibh duine ar bith sa phluais le céad bliain.

'Is maith leat í...' a dúirt Seán ag lasadh a thoitín.

'Caidé...?'

'Úna ... chonaic mé tú ag amharc uirthi.'

Bhí Cormac ar a mhíchompord. 'An bhfuil sibh ag gabháil amach le chéile i bhfad?'

'Cúpla seachtain.'

Tharraing Seán dé as a thoitín agus las a aghaidh go dearg sa dorchadas. 'Thig leat í a bheith agat más mian leat....'

Sheasaigh Cormac. Bhí an toitín ag cur mearbhlán ina cheann. Ní raibh glórtha an phéire eile le cluinstin níos mó.

'B'fhearr dúinn imeacht. Rachaidh muid ar ais?' a dúirt Cormac.

Níor dhúirt Seán dadaidh. Sheasaigh sé ansin, cruit air, ag caitheamh a thoitín.

'Tá tusa cosúil liomsa,' a dúirt Seán i ndiaidh tamaill. 'Tá tú as alt.'

D'amharc Cormac air sa dorchadas. Níor mhothaigh sé stioc de bhá ghaoil leis an fhear roimhe agus bhí a fhios aige nár thuig an fear sin an chéad rud fá dtaobh de.

Nuair a phill siad ar an charr, bhí Pól ina shuí leis na doirse foscailte agus ceol ag seinm go híseal. Bhí Úna sa chúl. Léim Seán isteach ag a taobh agus thoisigh sé a pheataíocht léi. Shuigh Cormac sa toiseacht. Shuigh an ceathrar sa charr leis na doirse foscailte agus gaoth bhog ag séideadh fríd an charr. D'ól siad as na cannaí.

'Cá háit a bhfuair tú an slabhra?' a chuala Cormac ón chúl.

'Istigh sa drár....'

'Taispeáin ... cuir ort é.'

'Ná cuir! Níl mé á iarraidh,' a dúirt sí.

D'amharc Cormac ar an spéir ó thuaidh a bhí geal go fóill ag a bhun. Ó dheas bhí an ghealach ag éirí ina bál buí. Mheasc na dathanna roimh a shúile agus mhuscail sé a mhianta; thoisigh sé a smaointiú ar an am a bhí amach roimhe. Bhí sé ar bior le rud inteacht a dhéanamh. Ní raibh an saol ag iarraidh codladh agus d'fhanfadh seisean ina dhúiseacht go lasfadh sé é.

Thoisigh Pól an t-inneall agus thiomáin sé leis ar an bhóthar fríd an phortach. Thiomáin sé go cúramach.

'Cá háit a rachaidh muid?' a d'fhiafraigh Pól mar cheist nach raibh ag dúil le freagra. Ní raibh siad ach ag cur thart an ama go rachadh siad chuig an chóisir. Nuair a tháinig siad amach ar an phríomhbhóthar thug Pól an bhróg di. Bhí an ghaoth ag caismearnaigh isteach an fhuinneog. 'Seo linn,' a scairt Seán ón chúl. 'Níos gaiste....'

Tháinig Sinéad os coinne a shúl ag Cormac. Ní raibh sé ag iarraidh scairt a chur uirthi. Bhí sé ag iarraidh a bheith báite sa dóchas go bhfeicfeadh sé í. Rachadh sé sa tseans ... bhí sin níos meallacaí ná a bheith ag iarraidh teagmháil a dhéanamh ar an fhón mar nár mhaith leis an snáth a shamhlaigh sé eatarthu a stróiceadh.

Thiomáin Pól thart gan ábhar agus níor chuir ceachtar acu chuige ná uaidh. Bhí an oíche uilig amach rompu. Chaith siad siar cúpla slogóg eile den deoch agus bhí sé ag gabháil sa cheann ag Cormac. Tharraing siad isteach i gcarrchlós an bhainc.

'Thig liom sibh a fhágáil thíos anois nó caithfidh mé m'athair a phiocadh suas ón teach leanna ag a haon,' arsa Pól.

'Ach, tá an deoch chóir a bheith reaite ... agus níl an oíche ach ag toiseacht,' a dúirt Seán.

'Tá a fhios agamsa cá háit a bhfaighidh muid deoch,' arsa Cormac agus d'inis sé daofa faoin phost a fuair sé don tsamhradh. Bhí sé ráite aige sula dtug sé fá dear é. Thiomáin siad go dtí an teach ósta. Chruinnigh siad a gcuid airgid agus chuaigh Cormac isteach. Chuaigh sé thart cúl an óstáin agus isteach doras na cistine. Labhair sé le fear an bheár agus d'éirigh leis leathdhuisín cannaí a mhealladh as.

'Bhí tú aois cait, caithfidh mise imeacht,' a dúirt Pól nuair a shuigh Cormac ar ais sa charr.

'Caith thiar ag barr an bhealaigh muid,' a dúirt Seán.

Thoiligh Pól agus ina dhiaidh sin d'éirigh leo tabhairt air iad a chaitheamh thíos ag bun na malacha.

'Imígí ... muirfidh an seanbhoc mé,' ar seisean.

'An mbeidh tú ar ais?' a dúirt Seán.

'Drochsheans.'

'Tú féin a bheas thíos leis!'

Tharraing an carr ar shiúl ag fágáil an triúr ar thaobh an bhealaigh le leathdhuisín cannaí. Thóg siad dhá channa an duine agus thoisigh siad a shiúl i dtreo na trá.

Chonaic siad soilse fá bhun na dumhcha agus thug sin uchtach daofa. Tharraing siad ina dtreo. D'fhiach siad carr a stopadh ach scaoil sé thart leo ag séideadh a adhairce. Shocraigh siad aichearra a ghearradh trasna na dumhcha.

Bhí an spéir ó thuaidh ag cur dathanna di. In íochtar bhí sí ar dhath an óir agus os a chionn sin leáigh an t-ór isteach ina ghlas agus ansin ina ghorm agus ina dhubh díreach os a gcionn féin. Ní raibh oiread agus néal amháin san aer. Bhí an ghealach bán anois agus í ag ardú. Shiúil siad leo trasna an mhachaire agus suas fríd na méilte agus na hardáin, síos agus suas lagracha.

'Glac scríste bomaite,' a scairt Úna. Bhí sí ina suí san fhéar ag fáil a hanála. Phill an péire uirthi agus thit siad ag a taobh. Bhí an féar tirim agus an t-aer te. Bhí ciúnas iomlán ann. Luigh Cormac siar san fhéar. Bhí réaltóga le feiceáil os a gcionn ach leis an tsolas sa spéir ó thuaidh shílfeá gur ag gealadh a bhí an oíche. Thíos ar na machairí chuala sé éan inteacht ag screadaí go géibheannach. D'éirigh siad agus shiúil píosa eile. Chuala siad glórtha ag teacht ina dtreo agus chas siad le scaifte a raibh málaí ólacháin leo. Bhí siad ag ceol agus ag scairtí. Bheannaigh siad daofa agus choinnigh orthu. 'Cén bealach a bhfuil sibh ag gabháil? Thiar adaí atá an tine,' a scairt duine inteacht ina ndiaidh.

Shiúil siad leo. 'Coinnigh leis an chosán,' a dúirt Seán.

'Níl cosán ar bith ann,' arsa Úna.

Thug Seán rúide síos méile agus bheir sé ar Úna ag a bhun. Thit an bheirt san fhéar. Luigh siad ansin ag gáire.

'Stróc tú mo chulaith.'

'Á, mo loirgin!'

'Tá an mhuiríneach á mo ghortú. Níl orm ach riteoga — an gcluin tú mé?'

'Tá sé dorcha. Chan fheicim a dhath.'

Bheir Cormac orthu agus thit sé ina mullach. D'éirigh sé. 'Seo libh!' Suas go barr malacha leis. Amach roimhe chonaic sé daoine ag bogadh ina gcruthanna dubha in éadan sholas na spéire. Chonaic sé luisne an bhladhaire san aer ón tine. Rinne siad a ndeifre ach bhí sé ag glacadh saolta. Bhí an dumhaigh leathan rompu. Casadh péire orthu ag teacht an bealach eile. 'Tá sibh ag gabháil an bealach contráilte.' Bhí an chosúlacht orthu gur chuma leo.

Bhí aird Chormaic ar Shinéad. Shiúil sé leis rompu. Bhí muiríneach go bun na spéire agus an ghaoth á bogadh go héadrom. D'éirigh éan roimhe agus d'imigh sé ar eiteoga ag cur i dtíortha lena chuid ceoil. Lean Cormac air go tiomanta. Bhí sú a chroí ar gail agus a intinn ag rásaíocht. Amuigh thall ó dheas bhí solas sráide le feiceáil os cionn na céibhe, chuala sé na tonnta ag briseadh ar an chladach. Mhothaigh sé go raibh an saol leis.

Sa deireadh bhí sé ina sheasamh ar ardán ag amharc síos ar an tine chnámh. Bhí scaifte ina seasamh thart ar an tine. Bhí beirt ina suí ar tholg os coinne na tine agus daoine eile ina suí thart ar an talamh. Bhí ceol ag teacht ó charr.

Shiúil sé síos an droim agus isteach ina lár. Bhí baicle ag damhsa thart ar an charr agus cúpla duine ag ceol agus ag déanamh cuideachta. Scaipthe thart síos i dtreo na farraige bhí grúpaí ina suí agus ina seasamh thart ag ól agus ag déanamh calláin. Bhí teannas san aer. Bheannaigh sé do chúpla duine. Bhí duine nó dhó ag caitheamh adhmaid ar an tine agus cúpla mála mónadh scaipthe thart san fhéar. Chuaigh sé fríd an tslua agus a shúil amuigh aige do Shinéad. Chonaic sé scaifte óna rang. Bhí siad ina seasamh leo féin. Luigh sé isteach leo agus chuir siad fáilte roimhe. Cuid acu nach bhfaca sé ó bhí na scrúduithe ann.

Nuair a chonaic sé Seán agus Úna ag teacht anuas an cnocán chaith sé siar bolgam beorach agus rinne neamhiontas daofa. Choimhéad sé iad ag déanamh suas le grúpa níos sine a raibh cis bheorach ag a gcosa eatarthu.

Chuaigh sé a chaint le duine de na girseacha a bhí i gcomhluadar a chairde. Bhí a fhios aige gur Aoife a hainm ach níor labhair sé mórán léi roimhe. Bhí léine scaoilteach uirthi agus bríste teann. Shiúil sí lena lámh ar chúl a coim go cliúsaíoch. Ní fhaca sé í ag siúl mar sin roimhe agus mheall sí é. Rann sé a dheoch léi. Bhí sí gealgháireach. Chonaic sé cuid de na fir is sine ag amharc aníos air féin agus a chairde agus bhlais sé an nimh san aer. D'iarr sé uirthi a theacht a shiúl leis síos go himeall na trá agus dúirt sí go rachadh. Scar siad ón scaifte agus d'imigh leo fríd an mhuiríneach. Níor dhorchaigh bun na spéire an oíche ar fad agus anois bhí sé ag gealadh arís. Mhothaigh sé fairsinge na hoíche.

Shuigh siad ar bharr na dumhcha ag amharc amach ar na soilse glasa agus dearga ag caochadh le chéile amuigh sa deán. Bhí a fhios aige caidé le déanamh. Chas sé chuici agus chuartaigh sé a cuid súl sa tsolas lag. Bheir sé greim ar a lámh. Chrom sí a ceann. Ba dhóighiúil í sa tsolas éadrom liath.

Chrom sé isteach agus thug sé póg di. Níor staon sí. Chuir sé a lámh faoina haghaidh agus phóg sé arís í. Tharraing sí chuige é. Luigh siad siar sa ghaineamh. Bhí seisean ina mullach. Chuir sé a lámh suas faoina léine agus chuartaigh sé a brollach. D'fháisc sé a brollach faoina ceirteach. Bhí a fhios aige caidé le déanamh agus mhothaigh sé go raibh sí á iarraidh. Bhí sí á phógadh agus phóg seisean í. Bhí a dá lámh thart ar a mhuineál á tharraingt síos. Scaoil sé an ghreim a bhí aici air agus d'éirigh sé ina shuí.

Bhí cnapán istigh ann, toradh neamhaibí mar phór glas lomlán. Mhothaigh sé go raibh a mhian ar bharr lasrach agus bhí sé ag iarraidh é a mhúchadh ach eagla air go n-éireodh leis é sin a dhéanamh ina ainneoin féin agus in éadan gach a raibh sé ag dréim leis. San am chéanna, ní thabharfadh sé isteach don eagla a bhí ann agus chan admhódh sé dó féin é. Drogall ba chúis lena leithéid, dar leis, braiteoireacht a thiocfadh as díth tola don eachtra é féin, agus níor mhaith leis é sin a admháil. Ba mhaith leis go mblaiseadh sé an saol is go bhfaigheadh sé taithí ar gach rud. Ba mhaith leis gach toradh a bhlaiseadh, ach bhí toil inteacht ann a bhí níos láidre ná an ainmhian a bhí go smior ann.

D'éirigh sise ina suí agus chóirigh sí a léine. Bhí rud inteacht i ndiaidh cliseadh. Chrom sé anonn le hí a phógadh ach chrom sí a ceann. D'éirigh sé ina sheasamh agus rith sé síos an méile go dtí an trá. Chaith sé de agus rith sé isteach san fharraige ina bhríste beag. Thit sé san uisce éadomhain agus chaith sé é féin thart ag únfairt san uisce. Shnámh sé amach go raibh sé go maith thar a dhoimhneacht agus d'amharc sé ar ais ar an trá. Bhí solas na tine le feiceáil i bhfad siar, ach ba chuma leo siúd a bhí thart ar an tine faoi Chormac, nó faoi rud ar bith fá dtaobh de, a mhothaigh sé.

Nuair a tháinig sé amach as an uisce, bhí Aoife ina suí abhus ar an ghaineamh ag a chuid éadaigh. Thriomaigh sé é féin lena T-léine. Tharraing sé air a bhríste i mullach a fhobhríste fhliuch agus thit sé ar an ghaineamh. Bhí siad ciúin ar feadh tamall fada. Shuigh siad ar an ghaineamh ag amharc amach ar na hoileáin agus an spéir ag gealadh le teacht na maidne.

Mhothaigh Cormac go raibh a cheann slogtha suas ag na céadta smaointe coimhthíocha a chur mearú ar a intinn, ach nuair a rinne sé iarracht iad a shocrú níorbh fhiú smaointiú maith amháin na smaointe go léir a shnámh ina cheann.

'B'fhearr domhsa imeacht,' arsa Aoife sa deireadh, 'beidh siad ag fanacht liom.' D'éirigh sí agus shiúil suas an bruach gainimh. Luigh Cormac siar ag stánadh ar an spéir.

I gceann leathuaire d'éirigh sé. Bhí sé ina lá geal. Shiúil sé suas an dumhaigh go barr an aird. Bhí an slua scaipthe agus na carranna ar shiúl. Bhí aibhleoga na tine lasta go fóill. Chaith sé smután ar an tine agus d'éirigh bladhaire a chas mar theanga ar an adhmad. Ar an talamh taobh na tine thug sé fá dear slabhra airgid. Thóg sé é.

D'amharc sé soir uaidh ar an bhearád bhán a bhí ar Chnoc Fola. Gan mhoill bheadh na carranna ag sní suas taobh an chnoic ag tarraingt ar Aifreann na maidne. Bhí siúl fada roimhe. Bheadh air a bheith sa bhaile sula n-éireodh a mháthair. Ghearrfadh sé an t-aichearra. Bhí steall mhaith tráite aige agus thabharfadh sé iarraidh scarbháil soir trasna ag béal an ghaoith. Bhainfeadh sé de a bhróga agus a bhríste agus rachadh sé ag spágáil anonn ag béal na habhna. Ní bheadh roimhe ach siúl leathuaire ar an taobh thall.

Nuair a shroich sé an Bhinn Bhuí, shuigh sé ar an fhéar ag amharc amach ar na hoileáin. Bhí sé a seacht a chlog. Thíos uaidh bhí ealta druideog ag piocadh míolta as an fheamnach a bhí nochta ar na creagacha. D'éireodh siad d'aon phreab leis na tonnta sula luífeadh siad arís ar an obair. Thóg sé an slabhra as a phóca. Smaointigh sé go bhfágfadh sé ar ais sa drár é. Thiar ar a chúl bhí an paróiste uilig ina luí ciúin leis an bhóthar ag síneadh dhá mhíle suas isteach ina lár ag crithlonrú mar ribín airgid i ngrian na maidne. Bhí achan rud ina chiúnas. Ní raibh de ghluaiseacht ann ach rolladh na dtonn ag cuimilt na gcreagacha thíos faoi. Ba dheacair creidbheáil go dtiocfadh leis an tsaol a bheith chomh ciúin. Bhí sé fá shíocháin lena intinn. Bhí an saol fá shuan agus saor ó achan bhuaireamh. Ba chineálta brónach an suaimhneas é. D'amharc an spéir agus na néalta anuas air le cineáltas agus le grá, luí na hoileáin agus na cnoic siar agus ní raibh drochrud ar bith sa tsaol. Idir na hoileáin, shín an fharraige mhór amach i dtreo na gcríoch i bhfad i gcéin, agus ar dhroim na farraige, a spréigh thar leath an domhain, ní raibh duine ná deoraí, trup ná fuaim.

Sceith

'Sin an péire a bhí muid a chuartú,' arsa an t-athair, ag casadh an tsleáin agus ag dingeadh an dá fhód dheireanacha go hachomair amach i lámha Chathail. Thóg Cathal an péire fód as an uisce agus chaith uaidh a fhad agus a bhí d'urradh fágtha ann ar an urlár iad. Bhain sé searradh as féin agus nuair a dhírigh sé a dhroim go mall shíl sé go n-éireodh sé glan amach ón talamh le héadroime. D'amharc sé siar ar an urlár mónadh spréite ar a chúl, a raibh loinnir gheal ar a chraiceann, agus lig sé anáil.

'Nigh an sleán. Caithfidh mé an t-uisce a ligint ar shiúl,' arsa an t-athair. Bhí sé anuas ó dhroim an bhachta agus ag cromadh le túrtóg a thógáil as an díog a bhí síos le taobh an bhachta úrghearrtha. Bheir Cathal ar an tsleán agus suas leis fríd an phortach ag tarraingt ar an pholl portaigh ar thaobh an bhealaigh mhóir.

Bhí an poll dorcha agus domhain, le caonach glas ag fás ann thart fán imeall go tiubh. Shleamhnaigh sé an sleán síos isteach san uisce dhonn. Bhain sé lán a dhoirn de chaonach agus ghlan cos an tsleáin leis. Ghlan sé síos a chuid buataisí agus le crág ghairbhéil a thóg sé ó thaobh an bhealaigh, scríob sé an caorán tirim as cúl a láimhe, ag cuimilt an mhin-ghrean isteach ina chraiceann. Nigh sé a bhosa is a sciatháin sa pholl. Bhí an

50

t-uisce portaigh fuar agus shuaimhnigh sé a spuaiceacha.

Ar chiumhais an phoill chonaic sé sceith fhroig leis na míle súmadóir ag preabadaigh istigh ann cosúil leis na míle súile dalla. Chuir sé a lámh faoin sceith agus choimhéad sé an ghlóthach ag sleamhnú thar a mhéara, camóg i lár gach súilín.

Ní raibh duine ar bith fá chúpla míle daofa. Thuas ar a gcúl bhí cnoc Thaobh an Leithid agus shín na móinte suas chomh fada leis. D'amharc Cathal síos isteach i ndoimhneacht an phoill. Shamhlaigh sé sleamhnú síos isteach san fhuaire. B'fhéidir go gceartódh sin mé. Déarfadh siad nach raibh bun ar bith ar na poill phortaigh. Cuimhnigh sé ar an lá a dtug a athair cead a gcinn daofa, é féin, a dhearthár agus a dheirfiúr, imeacht leo i dtreo an tsléibhe, fad agus a ghearrfadh seisean díog síos go dtí an sruthán. Lá te i lár an tsamhraidh a bhí ann agus nuair a tháinig siad a fhad le Loch na nGrianán, bhí an t-uisce á mealladh isteach. Rith siad thart fá bhruach an locha, isteach faoi ascaill an chnoic. Bhí an ghrian scalltach agus gan smid ghaoithe faoi fhoscadh an tsléibhe. Ní ligfeadh an eagla daofa a ghabháil a shnámh nó bhí sé crosta orthu. Chonaic siad bád seoil san fharraige ar chúl na n-oileán, ina bhal beag bán ag caitheamh na gréine. Luigh siad sínte ar a mbolg ar an fhraoch ag súil le breac a fheiceáil faoi bhruach an locha agus dar leo gur mhair an lá saolta. Nuair a bhí an ghrian tagtha thart os cionn Ghabhla agus í ag cailleadh teasa, bhí a fhios acu go raibh am baile ann. Rith siad thart ar an loch agus thar an phortach i dtreo a n-athara. Portach mór cothrom a bhí ann, nach bhfaca ariamh spáid, a luigh idir an loch agus a gcaorán féin agus a bhí lán poll agus súmairí. Rith a dhearthár agus a dheirfiúr leo chun cinn roimh Chathal. Lean sé daofa chomh gasta is a bhí ina chnámha ach sháraigh air coinneáil suas. Scairt sé leo fanacht leis. Gan rabhadh rith sé isteach i bpoll portaigh agus sula raibh a fhios aige é, bhíothas á tharraingt síos ag an uisce. Bhuail sé a chuid sciathán ag iarraidh snámh ach líon a bhuataisí le huisce. Slogadh síos é. Dhruid sé teann a shúile. Tháinig sé aníos agus d'éirigh leis béic a ligean ach chuaigh a cheann faoi arís. Ní fhaca sé ach dubh agus uisce donn. Choinnigh sé istigh a anáil. Nuair a tháinig sé aníos an dara huair, ní fhaca sé thar bhruach an phoill. Thóg sé isteach lán a scamháin d'aer agus d'fhiach ar snámh. Mhothaigh sé meáchan a chuid éadaigh á tharraingt síos, ansin mhothaigh sé lámh ag breith cúil muineáil air agus tarraingíodh aníos as an uisce é. Tharraing sé anáil agus thug sé alpadh thart air lena lámha. Bhí a dheartháir ag a thaobh san uisce agus greim aigesean ar an bhruach leis an lámh eile. Tharraing sé go dtí an t-imeall é agus d'éirigh leis an bheirt iad féin é a tharraingt suas ar an bhruach. Luigh sé ansin ag casachtaigh. Bhí a dheartháir chomh geal leis an chanach a bhí ag fás fána dtaobh. Nuair a fuair siad a n-anáil, shuigh siad gan focal a rá. Shuigh a dheirfiúr ag a dtaobh. Chuidigh sí a mbuataisí a bhaint daofa agus á dtaoscadh. D'fháisc siad na stocaí. Bhain siad daofa a mbrístí agus a dT-léinte agus d'fháisc iad chomh maith agus a thiocfadh leo.

'Ná habair a dhath — ar do bhás.'

'Tchífidh sé muid ar maos.'

'Rachaidh Eibhlín síos romhainn agus beimid i gcúl an chairr sula bhfeictear muid ar chor ar bith,' arsa Brian.

Lig an t-athair bíp as an charr agus thóg Cathal leis an tsleán agus bhí ar shiúl. Ní raibh siad ina dtost ag gabháil chun an bhaile daofa nó bhí a gcroíthe éadrom. Uair bheag ó shin bhí sé suas go dtí an dá ascaill ag cur as poll, ag déanamh nach mbeadh deireadh leis an obair go brách, agus anois i

gcionn tamaill bheadh sé ina shuí ag tábla an dinnéara.
Uaireanta mar seo, smaointeodh sé ar am agus ar chuimhne.

'Chonaic mé ar maidin iad,' a bhí a athair ag rá, 'suas le
tríocha acu ard sa spéir. Ceann amach chun tosaigh agus an
chuid eile in dhá líne spréite ina dhiaidh, ar a mbealach suas
go dtí an Mol Thuaidh.'

D'amharc Cathal amach thar an phortach i dtreo na
gcnoc. Nuair a bhíonn an ghé fhiáin ag eitilt ar ais chuig na
tíortha teo, a smaointigh sé, ní dhearcann sé choíche siar.

'Beidh tú ábalta lá a thabhairt domh i ndiaidh na Cásca,'
a dúirt a athair.

'Maram...' arsa Cathal.

Smaointigh sé ar an íde a fuair Brian an lá a tharrtháil sé
ón pholl portaigh é, siocair é a bheith fliuch báite, ach níor
inis a dhearthair an scéal airsean ariamh. Bhí Brian i gCeanada
anois le bliain. Labharfadh siad ar an ghuthán thall is abhus.

Nuair a chuaigh a athair isteach fá choinne a dhinnéara,
sheasaigh Cathal ag ceann an tí ag amharc síos thar an
gharradh bheag rómhartha agus an talamh bán a shín fhad
leis an dumhaigh. D'amharc sé amach thar dhíonta na dtithe
úra a bhí tógtha faoin teach, ró lom tithe folmha a sheasaigh
amach go neamhbhalbh in éadan na spéire. Mhothaigh Cathal
ceangailt leis an talamh. Bhí an t-aer bog agus ciúin. Aer
earraigh a bhí ann a d'iompair fuaimeanna i bhfad. Chuala sé
uain ag méileach soir uaidh, cé nach raibh siad ar amharc.
Chuala sé tormán toll na dtonn ag buaileadh ar na creagacha
thíos ar an chladach. Ina cheann chonaic sé iad ag briseadh
agus ag bogadh na gcloch doirlinge ar an trá. Ag amharc suas
ar Chnoc Fola, le grian an tráthnóna ag doirteadh anuas air,
thabharfá mionna go raibh dath glas ag teacht ar thaobh an
chnoic. Bhí smaointe ag gabháil thart fá imeall a intinne agus

rinne sé iarracht iad a chealú. Chas agus chuaigh sé isteach chun tí.

An oíche sin, nuair a bhí a athair ina chodladh os coinne na teilifíse agus a mháthair ag léamh sa chistin, chuaigh sé amach an doras tosaigh. Tharraing sé an doras ina dhiaidh go bog agus chuaigh sé ag siúl. Bhí teach Bhrídín fá dhá mhíle óna theach agus níor ghlac sé i bhfad air é a shiúl. Chuaigh sé thart le tithe na gcomharsan, na cuirtíní tarraingthe go teann. Ghearr sé aichearra trasna na páirce fríd an fhéar a bhí fliuch le drúcht. Amach ar an lána leis go dtí an príomhbhóthar agus síos bealach Bhrídín i dtreo na farraige arís. Bhí an oíche bog agus gaoth éadrom anuas ó na cnoic. Nuair a thóg sé an corradh ar bhruach na malacha bhí teach Bhrídín le feiceáil uaidh ar an ard, an solas lasta ina seomra.

Sheasaigh sé ar an bhóthar faoi bhinn an tí agus thóg sé crág de chlocha beaga ón tsráid. Sheol sé cúpla ceann suas i dtreo na fuinneoige. Bhuail cloch nó dhó a marc agus cuireadh as an solas san fhuinneog. Shuigh sé ar an chlaí go dtáinig sí thart coirnéal an tí, a cóta mór uirthi.

'Dúirt mé gan trup a dhéanamh....'

'Cén dóigh a bhfaighinn d'aird?'

Sheasaigh sé roimpi ag amharc uirthi sa chlapsholas. Bhí cuma ainglí uirthi faoi chaipín a cóta. Shiúil siad leo síos an bóthar i dtreo an chladaigh.

'Ní raibh mé fá choinne a theacht...' ar seisean. Shiúil sé lena lámha dingthe ina phócaí. 'Rachaidh muid go dtí an ché?'

Ní raibh duine ar bith fán ché fán am sin d'oíche. Sheasaigh siad ag amharc amach sa dorchadas. Thóg sé cúpla cloch ón bhealach mhór. Bhí bád ar feistiú amuigh sa chuan agus d'fhiach sé cloch a chaitheamh isteach sa bhád. Rinne an chéad iarracht plab san uisce, ansin chuala siad an dara cloch ag baint greadadh as cláraí an bháid.

Shuigh sise ar a cuid lámh ar imeall na cé, a cosa crochta os cionn an uisce. Thóg sé bodóg a bhí tugtha in airde ag an lán mara. Bhuail sé in éadan na cé é. Bhris an bhodóg agus chaith sé uaidh é. D'amharc sé amach chun na farraige. Bhí sé rófhuar le snámh, ach smaointigh sé, nuair a bhiseodh an aimsir go léimfeadh sé isteach ón ché agus go snámhfadh sé anonn go dtí an ceann thall, nó isteach go dtí an t-oileán.

'An raibh a fhios agatsa go raibh sé ag gabháil a dhéanamh?'

D'amharc sé ar na tonnaí ag bualadh taobh na cé. Bhí rithim sheasmhach bhuan leo ag lapadáil ar thaoibh na cé go meicniúil agus chuir sé sonrú ann sin.

'D'fhéad mé fios a bheith agam — nó rud inteacht a dhéanamh.'

'Ní maith dúinn an locht a chur orainn féin.'

Shuigh sé ag a taobh agus d'amharc an bheirt acu amach sa dorchadas. D'amharc sí air agus thóg sí a lámh go dtí a uisinn.

'Tá do chuid gruaige ag éirí fada.'

'An ngearrfá thusa domh é?' arsa seisean.

Rinne sí aoibh mhagúil.

Shamhlaigh sé í ag gearradh a chuid gruaige. 'Tá mé ag ligint dó fás.'

'Fóireann sé duit ... Bhí mé ag caint le Liam i Nua-Eabhrac. Tá sé ag iarraidh orm a dhul anonn don tsamhradh nuair a chríochnóidh mé suas — tá áit aige domh.'

'Méanar duit. Caidé a dhéanfas tú?'

'Obair i mbialann, b'fhéidir ... nó ag bearradh gruaige!'

'Caidé a dhéanann do dheartháir?'

'Péinteáil. Tá comhlacht aige.'

'Tá mé ag dul a shnámh isteach go dtí an t-oileán sa tsamhradh. Nuair a bhisíonn an aimsir. Níl ann ach míle. Beidh bád le hAntaine agus rámhóidh seisean isteach liom. Muna dtéim go Ceanada chuig Brian.'

Bhí siad ciúin arís.

'B'fhearr liom fanacht thart fhad is a thig liom.'

Dúirt sí gurbh fhearr daofa pilleadh.

Sheasaigh siad ag an chlaí os comhair an tí. Bhí corr-réalt le feiceáil fríd na néalta.

'Tá sé fuar,' ar seisean.

'Tá mo mháthair go fóill ina suí.'

Phóg siad tamall gairid, ansin dúirt sí leis imeacht. Níor amharc sé siar go raibh sé ag barr na malacha. Chonaic sé an solas ag lasadh ina seomra agus mhothaigh sé go raibh baint aige le rud inteacht.

Bhí gach rud fá bharra a mhéar. D'airigh sé go raibh sé i gcónaí ag teitheamh ó rudaí a bhí á shlogadh. Shantaigh sé a shaoirse. Lean sé air ag siúl. Scaip na néalta agus nocht gealach úr a bhí mar lúibín foscailte crochta sa spéir ag fanacht le mír. Bhí deireadh roimhe.

An Cluiche

Taobh amuigh bhí an ghrian ag spalpadh agus an t-aer ar creathadh le teas an tsamhraidh. Bhí na gathanna ag doirteadh isteach fuinneoga theach an ósta ach ar chúl an dorais taoibh bhí an beár i ndorchadas, áit a raibh na fir ina suí thart ag amharc ar an chluiche. Bhuail seanbholadh beorach mé ag siúl isteach domh, milsithe ag an aimsir throm. Bhí na fir ina léinteacha, a lámha faoina n-ascallacha ag amharc suas ar an chluiche. Dheamhan aird a thug siad orm ach ag scairtí treoracha leis na himreoirí. Sheasaigh mé tamall ag amharc ar an scáileán gur éirigh mo shúile cleachtaithe leis an dorchadas agus tharraing orm stól beag.

Bhí mé istigh luath d'aonghnoithe leis an chluiche a fheiceáil, cé nach raibh mé in ainm toiseacht go dtí a sé, ach ní luaithe i mo shuí mé nó gur scairt Proinsias isteach ar chúl an bheáir orm le cuidiú leis, agus ansin, ní raibh sé féin le feiceáil. Ach ba chuma liom, dá bhfaighinn mo phá agus an cluiche a fheiceáil ag an am chéanna. Bhí mé ag obair ann coicís anois agus ag súil le fanacht ann go bhfosclódh an scoil arís san fhómhar.

Roimhe i bhfad bhí ceann de na bairillí reaite agus bhí orm a dhul síos chun an tsiléir lena athrú. Síos an staighre cúng liom go dtí an cuisneoir. Strácáil mé leis an bhairille go bhfuair

57

mé an barr de agus bairille úr isteach ina áit. Bhí an cuisneoir fuar fáilteach agus d'fhan mé thíos ann tamall ag sórtáil na mbairillí agus ag déanamh dearmad glan den chluiche. Shuigh mé síos ar bhairille taobh amuigh den chuisneoir le scríste a dhéanamh. Bhí tart orm agus thóg mé buidéal de dheoch oráiste amach ó bhocsa deochanna agus steall mé an barr de ar thaobh an bhocsa, cleas a d'fhoghlaim mé ó Phroinsias é féin. Shuigh mé ar mo shuaimhneas ag baint slogóige as an bhuidéal. Ansin, roimh mo dhá shúl, shiúil beirt fhear amach doras cúil a bhí sa dorchadas ag bun an tseomra. Shiúil siad thart díreach liom gan dadaidh a rá agus rinne fear acu comhartha a chinn liom. Shiúil siad amach an doras i dtreo an staighre. Chríochnaigh mé an deoch agus phill mé ar an bheár.

'An gcaithfidh mé féin iad a tharraingt?' arsa Éamonn ag teacht aníos domh.

Chuaigh mé ar ais a dh'obair. D'fheicfinn Éamonn ag ól le m'athair thall is abhus agus bhí a fhios agam gur fear magúil a bhí ann.

MOCKER

'Déan péire de, a stócaigh,' a dúirt an fear a bhí leis ag an bheár.

Thug mé fá dear an bheirt choimhthíoch anois ina suí leo féin ag tábla sa choirnéal agus iad ag amharc suas ar an pheil anois is arís. Thug bean an tí amach pota tae chucu agus ceapairí gan mhoill ina dhiaidh sin, agus shuigh siad ar a gcompord ag caint eatarthu féin.

'Tá siad ag déanamh gnoithe measartha,' arsa mé féin le hÉamonn Ailic, ag tarraingt a phionta, ach níor thug sé freagra orm; shuigh sé féin agus a chara ag amharc suas ar an chluiche.

D'fhág mé an dá phionta os a gcoinne amach agus chuntas siad luach na ndeochanna as an dá chnap airgid a bhí rompu ar an chuntar.

'Níl caill orthu inniu,' a dúirt mé, ag ardú mo ghlóir.

D'amharc an dara fear orm: 'Á, greidimín eile, fan go bhfeice tú!'

Labhair sé de ghlór chársánach, tharraing aníos smug; shílfeá gur aníos as tóin a bhróige, agus chaith amach ar an urlár ag a chosa é. Las sé toitín. D'amharc an bheirt fhear choimhthíocha aníos agus chuaigh siad ar ais a chaint eatarthu féin.

'Dheamhan é,' arsa Éamonn Ailic, 'nár dhóbair dúinn coicís ó shin.'

Bhí cuma gur fear pléisiúrtha a bhí in Éamonn Ailic, ach ní raibh aithne agam ar a chara. Bhí ceann rua airsean agus chuir a aghaidh an chloch bhog den eibhear dhearg a bhriseann ina scaineagán ar an chladach i gcuimhne domh.

'Tabharfaidh siad na físeacha do Dhún na nGall inniu, bí siúráilte!' arsa an fear rua.

'Agus na pingneacha corra lena gcois,' a dúirt Éamonn.

Tháinig Proinsias ar ais agus shuigh sé thíos leis an bheirt fhear. Thoisigh mé ag glanadh thart agus ag iarraidh a bheith ag coinneáil súil ar an chluiche ag an am chéanna.

Bhí Briainigh ina shuí ag bun an bheáir leis féin. Fear mór, thart ar thrí scór go leith; dhá liobar phislíneacha air agus meilleoga síos dhá thaobh a leicinn. Leathphionta leanna agus leath cinn a bheadh aige i gcónaí. Bheadh an chuid eile ag spochadh as thall is abhus agus ar dhroim daofa sin a dhéanamh, bheadh seisean ag mairgní leis i gcónaí.

'Nach bhfuil tú ag coimhéad an chluiche, a Bhriainigh?' arsa mé ag glanadh an chuntair.

'Á, breast, b'fhearr liom a bheith ar leac ifrinn.'

'Scaoil uait a' bál,' a scairt Éamonn Ailic, ach baineadh an bál do Dhún na nGall. Chroith na fir a gcinn. Bhí an bál ag teacht anuas an pháirc arís.

'Char dhadaidh scaifte seanmhná...' arsa an fear rua.

D'éirigh leo é a fháil ar ais agus tugadh cic mór suas lár na páirce dó.

'Beir air, chan te atá sé,' a dúirt Frainc. Bhí Frainc ina shuí ar stól ard i lár an urláir leis féin. Fear caol ard a dtug siad an cró-iarann mar leasainm air ar chúl a chinn agus shílfeá maise gurb é rud a shlog sé ceann.

'Bris a' bál,' arsa fear eile.

'Léimeadh fear amháin agaibh,' a dúirt Rodger, ag cur a ladair isteach. Bhí Rodger ina shuí sa choirnéal agus é ag rolladh toitíní ar a ghlúin mar fhear nach raibh suaimhneas le fáil aige. Fear beag éadrom thart ar dhá scór a bhí ann le féasóg dhubh agus gruaig fhada ceangailte siar ar chúl a chinn. Bhí brístí teanna dubha air, búcla mór ar a bheilt agus T-léine *Metallica* air. Nuair a dhéanfadh sé gáire, tchífeá drad donn a cháir ag gáire amach ort.

Shéid gaoth éadrom isteach an doras cúil agus d'fheicfeá toit ghorm na dtoitíní ag bogadh amach an doras mar thaibhse. Ba é sin nuair a chuir Ard Mhacha an bál ar chúl na heangaí. Cic íseal as na lámha a chuaigh díreach isteach idir dhá imreoir agus an posta; glactha go deas réidh.

'Tá ár ngnoithe déanta!' a dúirt an fear rua agus chaith sé siar a dheoch. 'Caith amach ceann eile.'

Thit siad ina dtost tamall agus choinnigh muid súil ghéar ar an imirt ag súil go dtiocfadh bail orthu.

'Cha ndéan seo maith,' a dúirt an fear rua ag amharc thart.

Bhí Ard Mhacha ag déanamh rúide eile suas lár na páirce fríd imreoirí Dhún na nGall mar a ghearrfadh lann fríd cnap toite.

'Druid orthu. Fear ar achan fhear,' a scairt an fear rua.

'Stróc anuas, tarraingígí, sin a' dóigh!' a dúirt Frainc.

'Buail é ... isteach sna heasnacha,' a dúirt an fear rua ag fáil uchtaigh.

'Tabhair ar shiúl an bál, sin é ... arú, éirigh i do sheasamh leat...' a dúirt Éamonn Ailic, é féin ag éirí ón stól. Bhí cic saor isteach ag Ard Mhacha agus d'imigh an ghaoth as na fir ach oiread is dá bpollfá iad.

Fuair Ard Mhacha an pointe agus thoisigh an imirt arís le cic fada suas lár na páirce. Bhí Dún na nGall ar an ionsaí arís.

'Thar an trasnán anois, scaoil léi, sin a dóigh,' a dúirt an fear rua.

'Tabhair seans dó fáil thar lár na páirce,' a dúirt Éamonn Ailic leis.

'Agus tá sé buailte go hard. Tá sé ard agus tá sé cruinn agus — ára, scrios fia.'

Tháinig leath ama agus bhí Dún na nGall cúig phointe chun cúil. Beag dóchas go dtiocfadh siad ar ais. D'amharc mé síos agus thug mé fá dear go raibh an bheirt fhear choimhthíocha ar shiúl. Chuala mé inneall ag toiseacht agus chonaic veain ghorm ag gabháil thart leis an doras cúil.

D'éirigh scaifte fear agus chuaigh siad amach sa ghrian agus fágadh an teach suaimhneach. Chluinfeá iad ag déanamh calláin amuigh agus nuair a rachadh carr thart chluinfeá iad ag scairtí i ndiaidh an chairr.

Tháinig Proinsias agus d'iarr orm a dhul agus na gloiní folmha a thógáil. D'fhan na fir amuigh gur thoisigh an dara leath ach ní raibh an tsuim chéanna acu ann; bhí an uchtach caillte. Bhí an dara leath ina bhrachán ceart; fir ag troid agus ag tarraingt ar a chéile; cuireadh triúr d'fhoireann Dhún na nGall den pháirc agus fear amháin as foireann Ard Mhacha gan feall ar bith déanta aige. Níor scóráil Dún na nGall pointe amháin féin ón imirt agus le deich mbomaite fágtha fuair siad cúl ach is beag de mhaith a rinne sé. 'Greidimín maith eile,' a dúirt an fear rua.

Tháinig Mosaí isteach thart ar leath bealaigh fríd an dara leath agus chuaigh sé anonn chuig Rodger. Thóg Rodger a phaca tobaca den stól ard ag déanamh áit suí dó ach b'fhearr le Mosaí seasacht.

'An raibh oíche mhaith ina dhiaidh sin?' a chuala mé Rodger ag rá.

D'iarr Mosaí pionta beorach ar Phroinsias agus tharraing Proinsias pionta dó.

Fear breá scafánta é Mosaí, thart ar aois Rodger. Cóta éadrom leathair air agus gruaig dhíreach dhonn anuas go dtí na súile. Bheadh sé istigh ag ól i dtigh Phroinsias anois is arís ach chonaic mé fá na tithe eile fosta é. Dhíol Mosaí as a phionta agus thug Proinsias a bhriseadh dó. Nuair a d'amharc Mosaí ar an bhriseadh, dúirt sé le Proinsias: 'Tá mé ag déanamh go raibh níos mó ná sin de bhriseadh agat le tabhairt domh!'

'Cha raibh,' a dúirt Proinsias, go dearfa, 'sin an briseadh ceart!'

'Nach dtug mé nóta fiche duit!' arsa Mosaí.

Bhí achan duine ag éisteacht ach ag ligint orthu féin nach raibh. D'aithneofá go raibh Proinsias tógtha, na féitheoga ag éirí ar a mhuineál.

'Níor thug tú! Nóta cúig phunta a thug tú domh.' Bhí sé cruinn ar an phointe.

D'amharc Mosaí thart chuig Rodger, ansin ar ais ar Phroinsias: 'Tá mé cinnte gur nóta fiche a thug mé duit,' arsa seisean. Chuaigh sé a rúscáil fána phócaí a chuartú an fiche.

'Ní hea! Nóta cúig a thug tú domh agus thug mé liom é agus chuir mé isteach thall ansin sa *till* é.'

''Rodger, nach bhfaca tusa mé ag tabhairt nóta fiche dó?'

'Cha raibh aird agam ort, leis an fhírinne a rá.'

'Bhuel, tá a fhios agamsa gur nóta fiche a thug mé duit!' Ní thabharfadh sé isteach dó.

Chuaigh Proinsias anonn go dtí an scipéad, bhrúigh sé cnaipe agus d'fhoscail drár an airgid. D'amharc sé isteach agus tharraing amach nóta fiche. Tháinig sé anall leis an nóta san aer.

'An bhfeiceann tú!' arsa seisean go hainneonach. 'Chuir mé an nóta fiche isteach in áit na gcúigeanna. Mé féin is ciontaí. Bhí sé istigh san áit chontráilte agam. Sin anois é! Caidé an briseadh atá agam le tabhairt duit?' Labhair sé go ciúin céillí, chuaigh go dtí an drár agus phill sé leis an chúig phunta dhéag de bhriseadh.

Ghlac Mosaí an t-airgead go míshásta. Sháigh sé síos ina phóca é. Bhí lán a chraicinn d'fhearg air ach níor dhúirt sé dadaidh. Chas sé chuig Rodger is dúirt: 'Seo leat amach as an pholl seo.'

Thóg Rodger leis a phaca tobaca agus a phionta agus lean sé amach é.

Níor lig duine ar bith a dhath air féin fán rud a tharla. Choimhéad siad deireadh an chluiche go suaimhneach. Ní raibh dóchas ar bith go dtiocfadh Dún na nGall slán agus bhí Ard Mhacha ag déanamh eala mhagaidh dúinn. Bhí an pháirc fágtha ag leath an tslua le tréan samhnais.

'Cha raibh maith ann,' a dúirt Briainigh.

Ní fhaca muid Mosaí ná Rodger ní ba mhó an tráthnóna sin.

Chuaigh cuid de na fir 'na bhaile i ndiaidh an chluiche. Chuaigh an oíche isteach go gasta. Lig Proinsias ar shiúl luath mé i dtrátha a haon déag. Ar an dóigh sin bheinn ábalta buaileadh leis na gasúraí ag coirnéal an chaife.

Sular imigh mé, dúirt mé le Proinsias go bhfaca mé an rud a tharla: 'Chonaic mé tú ag baint na fiche punta amach as an drár agus amach as áit na bhfichidí a bhain tú é.'

Shíl mé go raibh sé ag dul a shéanadh.

'Ní thig aon duine amach maith as achrann,' arsa seisean. Mhothaigh mé go raibh na focail i bhfad óna chroí.

'Ach bhí a fhios agat go raibh sé ag cur ceann trasna ort,' a dúirt mé.

'B'fhéidir nach raibh a fhios aige féin é.'

Díreach ansin a tháinig cloch fríd an fhuinneog amuigh sa halla. Chuala muid an gloine ag briseadh. Rith Proinsias amach agus mise ina dhiaidh. Cá bith cé a bhí ann, bhí sé ar shiúl amach as sin go gasta arís nó i bhfolach ar chúl claí. D'éirigh an chuil ar Phroinsias. B'éigean domhsa scuab a fháil agus an gloine a ghlanadh suas. Léim Proinsias sa charr agus thiomáin sé siar agus aniar an bóthar. Phill sé arís roimh i bhfad agus chuidigh mé leis clár adhmaid a chur ar an fhuinneog. Nuair a bhí muid réidh, thug Proinsias nóta fiche domh amach as a phóca: 'Sin cúpla punta breise don lá inniu. Anois, imigh leat!'

D'imigh mé féin agus chas mé le mo chairde. Shocraigh muid a dhul chuig an damhsa. Bhí iomlán gealaí ann agus caint ar thine ar an trá agus cúpla canna i ndiaidh an damhsa.

Chonaic mé Mosaí ag an damhsa, é féin agus Rodger, agus bhí braon maith orthu. Ag deireadh na oíche tháinig Éamonn Ailic agus an fear rua isteach. Nuair a bhí mé istigh sa leithreas níos moille chuala mé racán agus thit Mosaí isteach fríd an doras i lár an urláir. Lean an fear rua isteach é agus chonaic mé é ag bualadh greadadh ar Mhosaí sa leithreas. Sheasaigh Éamonn Ailic sa doras. Bhuail an fear rua an t-anam as. Rinne sé leathmharbh air, go dtí nach raibh béal ná súil le feiceáil agus go raibh an fhuil ina sruthán anuas lena leiceann. Ní dhearn na fir dorais dadaidh ach Mosaí a chaitheamh amach ar an tsráid ina dhiaidh sin.

Choinnigh mise mo cheann síos an oíche sin. Ní fhaca mé rud ar bith agus níor dhúirt mé a dhath le duine ar bith ina dhiaidh sin. Ní theachaidh mé chun na trá an oíche sin, ní raibh fonn orm. Shiúil mé 'na bhaile faoi sholas na gealaí. Ní fhaca mé an dá fhear choimhthíocha sin ariamh arís. Ba sin an lá a bualadh Dún na nGall in athimirt Chraobh Uladh. Lá aisteach a bhí ann, tá cuimhne agam go raibh sé iontach te an lá sin, chuirfeadh sé as do chrann cumhachta tú le teas.

Páirc Mhic Liam

Chas Vincent an eochair i bpoll na heochrach agus d'fhoscail doras an árasáin. Chuir sé isteach a lámh agus las sé an solas. Lig sé Éabha isteach roimhe. Sheasaigh sí i lár an tseomra ag amharc thart. Tháinig aoibh an gháire uirthi.

Thóg Vincent na málaí siopála agus d'iompair iad isteach.

'Tá sé deas,' arsa sise.

Shiúil sí thart fríd an árasán ag amharc ar achan rud. Bhí dúil ag Vincent sa dóigh ar shiúil sí. Bhí dúil aige sa dóigh ar mhothaigh sé nuair a bhí sí leis. Bhí sí éadrom aigeanta agus dóigh dheas léi, a mheas sé.

'Cé leis é?' arsa sise. 'Cén dóigh a bhfuair tú an áit seo?'

D'aithneofá gur fear a chónaigh ann, é maisithe go stuama le corr-rud caite thart, ach ba bhreá an t-árasán é. Bhí na síleálacha ard agus fuinneog mhór ann le radharc breá amach thar an chathair. Bhí an áit déanta suas go húr agus na troscáin nua-aimseartha.

Sheasaigh sí ag an fhuinneog ag breathnú amach uaithi. 'Na crainn, nach bhfuil siad iontach?'

Bhí an t-árasán ar an tríú hurlár i dteach ar Chearnóg Mhic Liam agus radharc aige amach thar an chearnóg. Bhí duilleoga na gcrann tiubh agus iad go fóill glas, cé go raibh sé ag tarraingt ar Shamhain. Clapsholas a bhí ann agus bhí an spéir ag druidim isteach.

Bhí siad i ndiaidh bus a fháil trasna na cathrach. Stop siad isteach i siopa ar a mbealach go bhfuair siad bia a dhéanfadh iad don deireadh seachtaine: brioscaí, cáis, ciseán sméar dubh, a bhí as cuimse daor, buidéal Pinot Noir, cúpla béile réamhdhéanta agus seacláidí. Dhíol seisean as an iomlán. Bhí deoch acu i dteach leanna beag a dtáinig siad trasna air sula dtug sé go dtí an teach í. Mhothaigh Vincent gur ar shiúl ar eachtraíocht a bhí siad i ngan fhios don tsaol.

D'fhág sé na málaí ag cuntar na cistine.

Bhí Éabha ina seasamh ag an fhuinneog go fóill ag amharc amach. Chuaigh Vincent suas chuici agus sheasaigh ag a taobh.

'Bain díot do chóta,' arsa seisean.

Rinne sí sin. Thóg sé an cóta agus d'fhág ar chúl cathaoireach é.

'Tá sé ag gabháil a dhéanamh fearthainne,' arsa Éabha. 'Rachaidh muid síos go dtí an pháirc?'

'Tá sé dorcha agus, mar a dúirt tú, cuma na fearthainne air.'

Bhog sí ar shiúl ón fhuinneog.

'Ar mhaith leat deoch, mar sin?' arsa seisean.

'Maith go leor.'

Chuaigh sé go dtí an cuntar agus thoisigh a dh'amharc fríd na buidéil a bhí leagtha amach ann.

Chuaigh Éabha isteach go dtí an seomra leapa agus roimhe i bhfad chuala sé í ag léimtí ar an leaba.

'Caidé a ba mhaith leat?' a dúirt sé amach go hard. Rith sise ar ais chuige agus chaith sí a dá lámh thart ar a mhuineál. Phóg sí é go dúthrachtach.

'Fan anois,' arsa seisean. 'Déanfaidh mé deoch speisialta.'

Sheasaigh sí ag amharc air ag obair.

'Tá an seomra leapa chomh mór ... ar cheart dúinn a bheith ag ól a chuid buidéal?' a d'fhiafraigh sí.

'Dúirt sé muid féin a dhéanamh sócúlach anseo.'

Chuaigh sí anonn go dtí an tseilf leabhar a chlúdaigh taobh amháin den tseomra agus d'amharc sí fríd na leabhair. Thóg sí amach ceann: 'Ar léigh tú í seo ariamh?' Bhí leabhar de chuid Silvia Plath anairde aici.

Chroith Vincent a cheann: 'Ní fear mór filíochta mé, caithfidh mé a rá. Na scríbhneoirí Rúiseacha is fearr liom.'

'Scríobhann na Rúisigh filíocht fosta, nár chuala tú riamh ar Pushkin?' Thóg sí amach leabhar eile agus thoisigh sí ag méaradradh fríd. 'Is maith liomsa na Meiriceánaigh. Paul Auster, Carver ... thug sé cuairt ar Éirinn uair amháin, tá a fhios agat.'

'Cé seo?'

'Raymond Carver ... bhí sé pósta ar Éireannach.'

'Ní raibh a fhios agam sin.'

'Measann tú an bhfuil na leabharthaí seo uilig léite aige?'

Bhí Vincent gnoitheach ag meascadh deochanna. Thoisigh sí ag léamh amach os ard as leabhar, ansin shuigh sí ar an urlár lena cosa cruptha fúithi agus lean sí ag léamh di féin ar a suaimhneas. D'amharc sé anonn uirthi ó am go ham.

Thóg sí a ceann go meabhrach i ndiaidh tamaill. 'Samhlaím gur file é, fear an tí seo, ach go bhfuil sé gaibhte le gnoithí an tsaoil. Is fear gnó é agus d'fhág a bhean é mar go bhfuil sé neamh-mhuiníneach agus sin an fáth a bhfuil sé anois leis féin.'

'Tá barúil uaigneach agat as,' ar seisean. 'Ní mar sin atá sé ar chor ar bith. Tá a fhios aige go maith cé hé féin.'

'Cén aois é?'

'Sean go leor. Thart ar dhá scór.' Bhí sé ag siúl trasna an tseomra le dhá ghloine lán de dheoch phéacach leis. 'Blais é sin,' arsa seisean.

D'fhág sise síos an leabhar agus thóg an gloine idir a dá lámh mar dhéanfadh páiste. Thug sí an deoch go dtí na béal. Níor dhúirt sí a dhath. Bhlais sí arís é. 'Níl caill air!'

'Caidé tá tú ag rá? Ólfaimid sláinte mar sin...' D'ardaigh sé a ghloine agus bhuail siad a ngloiní ar a chéile.

'Caithfidh tú amharc sna súile,' arsa seisean.

Bhuail siad a ngloiní ar a chéile arís agus rinne siad gáire. D'ól Vincent tarraingt a chinn as a dheoch. Bhain sise snáthadh as a ceann féin agus d'fhág sí an gloine ar an tseilf agus thóg amach leabhar eile. Shuigh seisean ag a taobh ar an urlár ag amharc uirthi ag léamh. I ndiaidh tamaill d'fhág sí uaithi an leabhar.

'Nach bhfuil ceol ar bith againn?' arsa sise. D'éirigh agus chuaigh sí anonn go dtí an seinnteoir ceoil. D'amharc sí fríd na dlúthdhioscaí. 'Cé a éisteann le dlúthdhioscaí?'

Thóg sí amach ceann agus chuir sí sa tseinnteoir é. Líon ceol éadrom sacsafóin an seomra. Shín na nótaí amach go mall, ag snámh ar an aer. Stop sí an ceol agus thóg sí amach an dlúthdhiosca.

'Bhí dúil agam ann sin,' arsa seisean, ach bhí dlúthdhiosca úr pioctha amach aici. Gan mhoill líon ceol úr an seomra. Bhí buille beo leis agus thaitin sé léi. Thoisigh sí ag bogadh leis an cheol. Thoisigh sí a dhamhsa go mall agus ghluais sí amach i lár an urláir. Ghluais sí i dtreo Vincent agus shín amach a lámh. D'éirigh Vincent ina sheasamh go neoid. Rinne sé draothadh gáire. 'Níl mé ábalta damhsa rómhaith leis seo.' Níor dhúirt sise dadaidh ach dhamhsaigh sí thart air go héadrom.

'B'fhéidir gur cheart dúinn é a chur síos píosa,' arsa seisean i ndiaidh tamaill.

Chuaigh sí a fhad leis an tseinnteoir agus chas sí síos an ceol an méid beag is lú. Níor stad sí a dhamhsa.

Chuaigh Vincent chuici arís agus thoisigh siad a bhogadh le chéile leis an cheol. Thóg sí an gloine ó lámh Vincent agus d'fhág sí ar an tábla é. Ghlac Vincent lámh s'aici ina lámh féin, bhí sé chomh héadrom le cleite. Bhog sí isteach taobh leis. D'amharc sí suas air le súile cíocracha agus rinne sí gáire. Tharraing sé isteach chuige í. Dhamhsaigh siad mar sin le chéile. Ansin phóg Vincent í. Thóg sé a lámh ansin agus thoisigh a scaoileadh na gcnaipí ar a léine.

Chuir sí suas a lámh á cheapadh.

'Dá dtiocfadh sé isteach orainn?' a dúirt sí.

'Ní thiocfaidh.'

'Cén dóigh a bhfuil a fhios agat?'

'Beidh sé Dé Luain nó Dé Máirt sula bpilleann sé, dúirt sé.'

'B'fhéidir go dtearn sé dearmad de rud inteacht....'

'Ná bí amaideach.'

'Caithfidh muid na rudaí a chur ar shiúl.' Scar sí uaidh agus scipeáil sí anonn go dtí na málaí agus thoisigh sí a chur rudaí sa chuisneoir. D'ól seisean as a dheoch.

''Bhfuil a fhios agat caidé a thug mé fá dear?' arsa sise. 'Níl grianghraf amháin féin amuigh aige, nach bhfuil sin aisteach?'

'B'fhéidir nach maith leis a bheith ag amharc air féin,' a dúirt Vincent.

'Ná ar dhuine ar bith eile.'

Nuair a bhí na rudaí curtha ar shiúl, thug sí léi barra seacláide agus anonn léi go dtí an tolg. Shín sí amach agus shearr í féin cosúil le cat.

'Níor bhain tú de do dheoch ... déanfaidh mé ceann eile.'

Chuaigh sé go dtí an cuntar agus thoisigh sé a mheascadh deochanna go cúramach mar bheadh ceimiceoir saotharlainne ann.

'Ní aithneoidh sé go raibh muid ag ól a chuid dí?' arsa sise.

'Má ólann muid braon beag as gach buidéal....'

'Tá an méid sin buidéal aige ... tá siad sa tseomra leapa fosta aige.'

''Raibh tú ag gabháil fríd a chuid rudaí?'

'Tá siad achan áit ... cad chuige a bhfuil sé den mhéid sin buidéal?'

'Ólann sé.'

'Ólann sé barraíocht.'

Chonaic sise rud ansin os cionn na tine a thóg a haird agus d'éirigh sí: 'Amharc seo, duais éigin, ar son óráide nó rud inteacht a thug sé.'

'Ní chuireann sé iontas orm. Tá sé iontach foscailte lena chuid tuairimí agus cliste ... bhí comhrá fada agam leis.'

'Ach, ní raibh aithne agat air roimhe sin?'

'Ní raibh, gur chas mé leis ... chaith muid an oíche ar fad ag caint. Thug sé ar ais anseo mé ag deireadh na hoíche.'

'Nach é a bhí fial.' D'éirigh sí agus chuaigh sí anonn chuig an tseinnteoir ceoil. ''Bhfuil a fhios agat, cuireann sé cineál de mhearú orm go bhfuil an oiread sin ceoil nár chuala mé go fóill ... nach méanar dúinn, ach cuireann sé cineál d'eagla orm fosta.' Chuir sí dlúthdhiosca eile ar siúl agus d'éist sí.

'Is maith liom seo.' Bhí ceol coimhthíoch pianó ag teacht ón tseinnteoir.

Sheasaigh sí ag an fhuinneog ag amharc amach.

'Tá sé ar obair ag cur,' a dúirt sí.

Bhí dhá cheann ar an spéir agus fearthainn bhog ag titim díreach anuas.

'Nach gruama é, ach tá sé teolaí istigh anseo, nach bhfuil?' arsa sise.

'Seo anois, beidh dúil agat sa cheann seo.' Shín sé deoch úr chuici agus nuair a thug sí an deoch go dtí a béal tháinig fáthadh an gháire uirthi.

Sheasaigh sé ag a taobh ag amharc ar an fhearthainn ag titim ar an tsráid agus ar na crainn sa pháirc.

'Ar mhaith leat greim bídh?' ar seisean.

'Más mian leat ... ach níl ocras orm go fóill.'

'Fanfaidh muid, mar sin. Níl ocras ormsa ach oiread.'

D'amharc sí suas air. 'An bhfuil tú i ngrá liom, a Vincent?'

D'amharc sé uirthi, ansin síos ar an tsráid. 'Ná labhair fá sin.'

'Cad chuige? Abair liom é....'

'Ní rud é ar chóir duit ceistiú. Lig dó a bheith ann gan fiosrú.'

'Ach, ba mhaith liom tú a chluinstin á rá.'

Rinne Vincent gáire ansin. 'Tá a fhios agat caidé a dúirt d'athair liom nuair a chas mé leis sa teach an t-am adaí?'

'Caidé?'

Réitigh Vincent a sceadamán: '"Tá súil agam," arsa seisean, "go bhfuil do chuid cuspóirí, maidir le m'iníon, fiúntach."'

'Á, níor dhúirt, a Vincent.'

'Sin go díreach na focail a d'úsáid sé, agus é ag doirteadh an dara cupa uisce beatha domh.'

'Ó, ná bac leis.'

'Ach is tusa a leanbán, tá sé cosantach fút.'

'Róchosantach ... agus caidé a dúirt tú leis?'

'Bhí mé súgach i ndiaidh an chéad chupa uisce beatha agus ag Dia atá a fhios caidé a dúirt mé. Sílim go raibh sé sásta go leor leis an fhreagra.'

'Bhí sé 'do chur sna meáchain. Vincent bocht, tá mé buartha.'

'Ná bí, ní raibh sé ach ag iarraidh an chuid is fearr dona iníon bheag ionmhain.'

Tháinig an fhearthainn anuas díreach. Dhearc sé amach ar na tithe thart ar an chearnóg. Bhí go leor acu i ndorchadas, oifigí is mó a bhí ann ach bhí corrcheann a raibh cónaí iontu.

'Bhí sin milis,' arsa sise ag diúrnú na deoire deireanaí.

Chaith Vincent siar a dheoch agus chuaigh sé go dtí an cuntar le deoch eile a réitiú. Chuaigh sise thart ar chúl Vincent agus chuir a dá lámh thart ar a choim. Chuach sí go teann é a fhad is a mheasc sé an deoch, ansin chuaigh sí anonn gur chuir sí ceol úr sa tseinnteoir.

Thóg sé amach na sméara agus d'ith siad cúpla ceann ag an chuntar. Nigh siad siar iad leis an mhanglam úr.

'Caidé mar a chuir tú aithne ar an fhile seo?' arsa sise.

'Ní file é ach léachtóir. Casadh orm i dteach leanna é, bhí mé i ndiaidh achan duine a chailleadh agus d'aithin mé a éadan ón choláiste agus labhair mé leis. Chuir sé suim ionam, ar chúis inteacht.'

'Mar go bhfuil tú chomh dóighiúil sin, a Vincent.'

'Fuist leat. Chuaigh muid go Leggs ina dhiaidh sin ... eisean a bhí ag ceannacht, buideáil dhaora. Sheasaigh muid ag an bheár an oíche ar fad ag caint, eisean ag cur achan sórt ceiste orm fúm féin agus faoin tsaol. Rud amháin a dúirt sé a d'fhan liom: más mian leat fáil amach má tá rud a gcreideann tú ann fíor nó bréagach, a dúirt sé, stad a chreidbheáil ann ar feadh tamaill go bhfeicfidh tú an mbeidh sé go fóill ann.'

'Agus cén mhaith sin?'

'Má stadann tú a chreidbheáil i rud agus má bhíonn sé go fóill ann, nach comhartha é sin go bhfuil sé ann go fírinneach?'

'Ach ní chreideann tusa i rud ar bith.'

'Níl sin fíor. Creidim gur fear maith atá sa léachtóir, mar shampla.'

'Smaointigh air sin,' arsa sise. 'Ní chreidimse go bhfuil duine ar bith sa domhan olc. Níl le déanamh agat ach...' agus nocht sí a cár le gáire mór a thaispeáint.

'Ná bí ag rá rudaí mar sin,' arsa seisean.

'Cad chuige?'

'Níl tú ach ag tarraingt drochádh ort féin.'

Rinne sí gáire mar is ceart. 'Ná habair go gcreideann tú sin? Ní chreidim é.'

'Má shíleann tú go bhfuil achan duine i gcónaí maith, bhéarfaidh duine éigin buntáiste ort, lá inteacht.'

'Níor chóir duit a bheith chomh diúltach,' a dúirt sí. 'Ní fhóireann sé duit. B'fhearr liom dul sa tseans agus daoine a thrust.'

'Níl ann ach nár mhaith liom go dtiocfadh a dhath ort, sin an méid.'

'Tá mé breá ábalta amharc i mo dhiaidh féin, go raibh maith agat.'

Bhí a dheoch críochnaithe agus é ag amharc síos ar a ghloine folamh. 'Bhí sin deas. Ceann eile?'

'Maith go leor.'

Thoisigh sé ar cheann eile agus chuaigh sise ar ais chuig an fhuinneog.

'Nár dheas a dhul ag siúl. Bheadh sé deas san fhearthainn fiú. An rachaidh muid síos go dtí an pháirc?'

'Tá an pháirc glasáilte. Páirc phríobháideach atá ann.'

'Cén dóigh? Goitse muid síos go dtí an pháirc ... rachaimid?'

'An oíche atá ann, agus tá eochair de dhíobháil.'

'Cad chuige a mbeadh eochair de dhíobháil?'

'Páirc phríobháideach atá ann.'

'Ní hé.'

Rinne Vincent gáire. 'Bíonn sé glasáilte, a stór.'

'Ó, goitse, mar sin, agus brisfidh muid isteach ann.' Las a haghaidh le crostacht.

'Tá sé a' cur is a' báistí.'

'Nach cuma ... ba mhaith liom a ghabháil isteach, feiceáil caidé atá chomh speisialta fá pháirc go gcaithfear í a chur faoi ghlas. Beidh bláthanna ann. Ba mhaith liom análú. Tá an chathair ag druidim isteach orm. Cuir ort do chóta.'

'Níl muid ach i ndiaidh a theacht agus tá sé dubh dorcha,' arsa seisean.

Chuir sí a cosa isteach ina bróga agus tharraing uirthi a cóta.

''Tú teacht?' a dúirt sí agus bhí sí ar shiúl amach an doras.

Ní raibh ní b'fhearr le déanamh ach í a leanstan.

'Fan,' arsa seisean. Chuartaigh sé a bhróga agus a chóta agus fhad is bhí sé á ghléasadh féin chonaic sé amach an fhuinneog í ag rith trasna na sráide. Sheasaigh sí isteach faoi chrann ar foscadh. D'amharc sí aníos i dtreo na fuinneoige lena dá lámh lena taobh. Bhí cuma chaoin uirthi, dar leis. Fuair sé na heochracha agus d'imigh sé. Síos an staighre agus amach ar an tsráid.

Ceobháisteach éadrom a shéid san aer faoin am seo. Bhí sruthán salach uisce ar thaobh na sráide ag rith i dtreo na díge. Bhí sí ag fanacht faoin chrann. Rith sé trasna chuici agus chuir sí a lámh ina ascaill go héasca. Shiúil siad leo thart ar an pháirc ag cuartú na ngeaftaí. Bhí a fhios aige go raibh an pháirc glasáilte ach chuaigh sé le hí a shásamh. Bhí an spéir mar leac umha os a gcionn. Bhí an bus deireanach imithe le tamall ach bhí cúpla carr suas agus anuas an tsráid. Bhí na soilse ag scáthántacht sna poill uisce ar thaobh an chosáin. Thit deora móra ó dhuilleoga na gcrann os a gcionn.

Bhí Éabha ag caint ach ní raibh Vincent ach leath ag éisteacht. B'fhearr leis pilleadh ar an teas.

'Sílimse go bhfuil bean aige, a bhfuil cónaí uirthi san Eilbhéis. Sin an áit a bhfuil sé anois. Is dochtúir í ... ní hé ach ceoltóir, agus tá siad go mór i ngrá. Cónaíonn sí ar bhruach loch Como, agus tá sí iontach saibhir.'

'Tá deacracht amháin leis sin.' arsa seisean.

'Ná habair: ní chreideann sé i ngrá.'

'Ní hé, ach níl loch Como san Eilbhéis.'

'Nach tú atá cliste.'

Tháinig siad ar gheafta. Bhí comhartha air a dúirt: Páirc Phríobháideach. D'fhiach sí é ach ní raibh maith ann. Thug sé a sháith le déanamh dó í a choinneáil ó dhreapadh thar an sconsa. D'fhéach sí isteach fríd na barraí iarainn.

'B'fhéidir ar maidin,' arsa sise.

Shiúil siad thart taobh amuigh den pháirc faoi na crainn. 'Rachaidh muid thart arís,' ar sise agus shiúil siad thart air an dara huair.

'An mothaíonn tú an spéir ag brú anuas orainn, tá sé mar bhlaincéad mór trom,' ar sise ag amharc suas. Ansin stop sí: 'Amharc an t-éan beag ina shuí ar an talamh — á dhéanamh féin mór.' Stop sí arís ag an gheafta ag amharc isteach thar phící an sconsa, a lámha ina pócaí. Tháinig siorradh gaoithe a chroith na crainn agus tógadh crág duilleog ó na brainsí. Síobadh suas isteach sna crainn iad. Chas Éabha thart agus aoibh an gháire uirthi.

Ag teacht thart daofa an dara huair thug siad aghaidh ar chéimeanna an tí. Suas go doras mór an tí leo agus isteach sa teach mhór lasta.

Casadh fear orthu sa halla. D'amharc sé go tarcaisneach ar an bheirt. Bhí cuma righin ardnósach air.

'Oíche mhaith agat, a dhuine uasail,' a dúirt Éabha leis agus rinne sí seitgháire.

Rith siad suas na staighrí leathana go dtí an tríú hurlár agus isteach san árasán.

'Nár dheas áit mar seo a bheith agat,' arsa sise.

'Cuirfidh deoch bheag an teas ar ais ionainn.' Chuaigh seisean i mbun oibre arís.

Shuigh siad ar an tolg ansin agus choimhéad siad an teilifís. D'fhoscail siad an fíon agus rinne siad dearmad glan den bhia. Bhí scannán ar siúl agus thoisigh siad a choimhéad. Leath bealaigh fríd thóg sí a ceann go codlatach. 'Tá mé i ngrá leat,' a dúirt sí.

'Níl a fhios agam caidé le rá leis sin,' arsa seisean.

'Thiocfadh leat: "Tá mise i ngrá leatsa fosta," a rá.'

'Nach mbeadh sin rófhurast ... agus níl samhlaíocht ar bith leis.'

D'amharc sí air go géar agus lig sí osna éadrom. Chrup sí suas ar an tolg agus ní raibh i bhfad gur thit a codladh uirthi. D'amharc Vincent uirthi faoi sholas na teilifíse. Ní raibh a fhios aige caidé a bhí i ndán daofa. Nuair a dhéanfadh sí gáire saor chasfadh a béal go ceisteach an oiread agus dá mbeadh sí ag ceistiú an ruda a raibh sí féin ag gáire faoi. Bhí sí neamhspleách. Agus an diúltú a thiocfadh air in amanna, mhusclódh sé suim níos doimhne ann, de réir mar a dheimhneodh sé dó féin nach raibh aon rud dosháraithe.

Choimhéad sé an teilifís tamall eile agus d'ól sé deireadh an fhíona. Bhí air í a mhuscladh sa deireadh agus a tabhairt isteach a luí. Shiúil sí isteach go toilteanach mar dhuine ag siúl ina codladh agus thit sí isteach sa leaba. Thug Vincent iarraidh í a mhuscladh ach ní dhearna sí ach é a bhualadh lena lámh agus a dhul a gháire. Luigh sé ansin tamall a dh'amharc uirthi ag codladh. Bhain sé de a cheirteach agus chuir as an solas.

Mhothaigh Vincent go raibh an leaba chlúimh deas mín ar a chraiceann. D'airigh sé nach raibh sí sa leaba. D'fhoscail sé a shúile. Ní raibh sí sa tseomra. Mhothaigh sé lánsásta leis féin. Ní raibh rud ar bith eile uaidh. Scairt sé a hainm. Níor tháinig freagra. Dhruid sé a shúile arís agus shaiprigh sé é féin isteach sa chuilt.

Mhuscail sé arís i gceann tamaill agus ní raibh Éabha ag a thaobh. D'éirigh sé ina shuí agus chuir air a T-léine. Isteach leis sa tseomra suite. Bhí Éabha ina suí ar an urlár le léine bhán de chuid an léachtóra uirthi a bhí i bhfad rómhór aici agus í ag amharc amach thar leac na fuinneoige. Bhí solas ar a haghaidh isteach ón tsráid. Nuair a chas sí thart rinne sí gáire dóite le Vincent. D'aithin sé go raibh sí i ndiaidh a bheith ag caoineadh. Bhí sé ag gabháil a rá rud inteacht, ach cheil sí a súile air agus ansin níor dhúirt sé rud ar bith.

Rinne sí smúrthacht. 'Níor stad sé a chur an oíche ar fad.'

Shuigh sé ag a taobh. Bhí an fhearthainn ag titim ina bhrat éadrom agus thit deora móra ó na géaga a chroch amach thar gheaftaí na páirce. Luigh an t-uisce i bpoill ghlana ar an chosán coise. Ghluais carr go mall ar an bhóthar. Cé go raibh na néalta ag doirteadh fearthainne, bhí siad lasta buí ar a mbun ag soilse na cathrach agus shín siad amach mar chlár thar Bhaile Átha Cliath.

'Tá ocras orm,' arsa seisean. 'Ar mhaith leat greim bídh?'

Chlaon sí a ceann. 'Cad chuige a bhfuil muid anseo, a Vincent?'

Níor thuig sé.

'Cad chuige a bhfuil muid sa teach seo, mise agus tusa?' a dúirt sí.

'Mar gheall muid....'

'Ach, bheinnse chomh sásta sa bhaile i m'árasán féin. Mothaím go bhfuil mé i ngaiste anseo.'

'Thig linn ár rogha rud a dhéanamh anseo. Tá an áit againn dúinn féin, gan do chairde a bheith ag cur isteach orainn. Amárach, rachaidh muid ag siúl; cuirfidh muid aithne ar an áit.'

'Tá mé ag iarraidh amach as an áit mhallaithe seo. Amach, an dtuigeann tú?'

'Fuist.'

'Fuist...? Fuist a deir tú i gcónaí. Ní raibh mé fiú ag iarraidh theacht anseo sa chéad dul síos.'

'Á, Éabha....'

Chlaon sí a ceann is bhí siad beirt ciúin.

D'amharc sé amach thar dhíonta na cathrach. Bhí gealladh faoin chathair. Bhí na sráideacha lán féidearthachtaí. Cúpla sráid síos bhí daoine go fóill ag déanamh gleo sna clubanna oíche.

'Tá mé buartha, a Éabha. Níl leigheas agam air.' Bhog sé isteach léi agus rinne iarracht a sciathán a chur thart uirthi ach bhí sí cuachta isteach inti féin, a lámha thart ar a murnáin agus a smigead ar a glúine.

D'éirigh sé agus luigh sé ar an tolg lena aghaidh síos ar an chúisín. Rinne sé iarracht na fuaimeanna a dhruid amach ach chuala sé í ag smeacharnaigh. Chuala sé carranna ar an tsráid fhliuch amuigh agus chuala sé fuaimeanna fríd na ballaí. Chuala sé ise ansin ag éirí agus ag siúl isteach go dtí an seomra leapa. D'fhág sí an doras foscailte. Luigh sé leis ansin.

Slán le Páras

Tá an baile mór ag bruidearnaigh mar ghearbóg a mbeadh aicíd uirthi. Síos Rue La Fayette agus mé tré thine. Meisceoirí, drugaithe, sciorracháin, striapacha, mangairí; iad uilig amuigh ag déanamh gnoithe. Blaisim an mheirbhe san aer. Déanann an chathair angaidh agus is mise máthair an ghoir. Is mé bainne na hailse. Is maith liom an chathair na hoícheanta teo seo a mbíonn an t-aer trom le dúil. Fríd Gare du Nord agus é lán súmairí, andúiligh agus díbeartaigh; ní bheadh a fhios cén poll ar éirigh siad as le dhul a mharcaíocht trasna na cathrach ar thraenacha san oíche. Tá faobhar ar an oíche ach ní an cineál faobhair é atá uaimse. Líne B go Châtelet. Thar na tithe tábhairne leis na gandail agus na buachaillí bána ag pógadh agus ag galamaisíocht; na banríona, marlaí bhodacha mar ghamhna samhraidh, na hataí geala agus na féileacáin ag cur gotha orthu féin go craobhlasrach. Séidim póg leo. Is cuma liom. Siúlaim thart tharstu.

De réir mar a sciorrann an chathair thart sa traein, tagann mearbhlán orm. Túrcheapanna, soilse geala, cáblaí leictreachais, spuaiceanna eaglaise ag preabadh aníos thar bhun na spéire, iad léite isteach ina chéile. Carranna, trucailí, cruach agus coincréit, daonnacht, lom ina chuid fuaire, le boladh na hoibre agus an allais; an chathair mhilis ag sleamhnú uaim go súitear an traein síos isteach i dtollán dubh in ionathar na cathrach. Tugann fear amharc amhrais orm sa charráiste, amhail is go gceapann sé mé a bheith lag. Amharcaim ar ais air leis an dímheas chéanna, agus ansin déanaim gáire. Briseann gáire amhras agus dearcann sé ar shiúl.

Tá boladh cumhra ar an chathair anocht. Bláthanna agus milseacht ag sú as na gáganna. Chuirfeadh sé mil ag sileadh ó dhuilleoga i do cheann. Ach ní ó bhláthanna ná ó neachtar a thagann an boladh ach ó na daoine iad féin, ó allas a gcraicne agus óna ngruaig — fir agus mná. Boladh éadrom na beatha. Santaím é.

Tá seomra agam in aice le Gare du Nord. Seomra polltach le leaba shingil agus prios folamh adhmaid. Tá cathaoir agus tábla sa tseomra agus báisín níocháin. Tá seomra folctha síos an halla. Ar an bhalla, trasna ón leaba, tá péintéireacht de chuid Renoir: *Bal du Moulin de la Galette*. Nuair a deirim péintéireacht, prionta atá i gceist agam, agus tá sé ag meath le solas na gréine a scuabann thart air uair sa lá fríd an fhuinneog chúng. Luím sa lá ag coimhéad an bhraillín bháin sin arbh í solas na gréine í ag snámh trasna an bhalla. Ní maith liom é mar phéintéireacht. Tá an solas ródhóchasach ann. Ní labhrann sé liom; ní mar a labhrann an chathair liom san oíche. Is duine eile mé sa chathair liom féin; duine gan stair.

Chuartaigh mé arís aréir í, ag siúl an cheantair idir Châtelet-Les Halles agus Hôtel de Ville, áit ar chaith muid an chéad oíche. Tá na sráideacha lán d'éagsúlacht; mná fireanna, mairnéalaigh, gach cineál. Ach bhí rud inteacht folamh faoi, amhail is nach raibh contúirt ar bith san aer. Shiúil mé thar bheirt chailín a bhí ag pógadh agus tharraing siad siar agus rinne siad gáire liom. Bhí bean amháin chomh dóighiúil in achan dhóigh. Stán mé ar ais agus phóg siad arís. Taobh amuigh den Lizard Lounge ag ól beorach tháinig fear ard Francach aníos fhad liom agus d'iarr dearg orm. Thug mé dó é gan focal agus phill sé ar a chairde. Bhraith mé gur tairiscint a bhí ann.

Agus bhí mé sa tóir uirthi arís don tríú hoíche. Mhothaigh mé an boladh san aer. Ach níor aimsigh mé í. Agus sa deireadh bhí orm pilleadh ar mo sheomra uaigneach in atuirse. Shamhlaigh mé go mbeadh sí amuigh arís cosúil liomsa ag cuartú na súmairí fola, na malartáin arbh ainmhithe iad ar féidir leo eitilt. Iadsan a dhiúlann an smior ó na cnámha.

Nuair a shiúil mé isteach sa tseomra an chéad oíche sin, bhí sé tré thine; ba chrann Nollag lasta é lán soilse. Bhí an t-aer ag bruith le leictreachas mar bheadh fostáisiún cumhachta ann. D'amharc mé thart ar an tseomra le súil ghéar. Bhí an teach lán stócach agus girseach d'achan chineál agus le hamharc amháin bhí an áit measta agam. Rinne mé ar an bheár, ag siúl fríd ghrúpa cailíní ag luascadh ar sháltaí arda agus ag súimíneacht ó ghloiní tanaí. Sheol mé fríothu. D'ordaigh mé deoch agus sheasaigh mé ag amharc uaim.

Nocht sí mar a nochtfadh fís. Amach as an tslua. D'fhoilsigh sí. Agus díreach mar bheadh aisling ann, shiúil sí i mo threo. Labhair sí. Liomsa.

'Caidé atá tusa a dhíol?'

Rinne mé gáire.

'Creidim,' a dúirt sí, 'go dtéann tú suas ar spéirmhná fosta!' Bhí an diabhlaíocht ag soilsiú sna súile aici.

'Ní fúmsa breithiúnas a thabhairt,' a dúirt mé.

'Ó,' ar sí, ag nochtadh a cár.

'Ní dhéanann duine ar bith comhrá, ní dhéan siad ach fíricí a chaitheamh aníos ort a shlogann siad ó ghléasanna. Níl duine ar bith ábalta labhairt faofa féin nó míniú cé hiad féin ach tá siad go léir ag díol rud inteacht. Caidé atá tusa a dhíol?'

Sin mar a thoisigh an comhrá. Roimh i bhfad bhí sí ag aithris filíochta. Dánta a chum sí, lán fuinnimh mhire faoi fhir agus faoi mhná, faoi ghrá agus faoi dhíomá. Chloé ab ainm di agus b'as na Stáit Aontaithe di. Missouri. Bhí sí iomlán láithreach. Sa tóir ar dhaoine a chrith ar na craobhacha céanna léi. Mhol a cuideachta mé. Bhraith mé gur thuig muid rud inteacht faoina chéile. Thug sí breithiúnas orm; b'fhéidir fíor. I gceann i bhfad bhí muid ag siúl na sráide dallta ar an oíche. Le bánú lae bhí muid inár suí taobh amuigh ag ól caife dubh agus ag cur toit san aer, ag caint i mbriathra na heagna agus bhraith muid i gceartlár an tsaoil. D'amharc muid ar na daoine ag teacht amach chuig a gcuid oibre. Turasóirí. Polaiteoirí. Freastalaithe. Físithe. Agus díreach mar a tháinig sí, d'imigh sí. Le grian an mheán lae ag spalpadh agus muid traochta, d'éalaigh sí. D'iarr mé a huimhir. Ní tabharfadh. Má tá muid i ndán dá chéile, a dúirt sí. Amaidí, a dúirt mise. D'amharc sí orm go brónach. Bheir mé greim ar a sciathán, d'amharc sí ar mo lámh agus scaoil mé léi.

Anois tá mé ar ais chuig na háiteacha a dtug muid cuairt orthu. Le gach uair a chaithim, caillim uchtach.

Maidin inniu, ar philleadh domh, bhí na sráideacha nite glan ag fearthainn na maidne agus boladh úr san aer. Bhí an ceol níos brisce i mo chluasa, é ag preabadh ó bhallaí na bhfoirgneamh. Bhí dream úr amuigh ag scuabadh agus ag cóiriú agus ag déanamh biseach ar iarsmaí na hoíche aréir, ag glanadh an dráimh a bhí fágtha inár ndiaidh. Rinne solas an lae soiléiriú.

Mhuscail mé i mo chnap báite. Mhothaigh mé boladh an allais ag teacht uaim ach ní mo bholadh féin ach boladh na cathrach ar fad a bhí ann. Cén dóigh ar féidir le boladh na sráide agus na daonnachta ar fad a bheith ag teacht amach fríd mo chorp féin? Bhí tocht na leapa cnapánach agus an leaba cúng. Smaointigh mé go bhfuair mé boladh na seasmaine agus boladh an cheireacháin go fóill óna hanáil.

Is gnáthscéal é seo. Níl sé difriúil ó scéal ar bith eile, ach gur domhsa é. Níl ann ach scéal gan tús ná deireadh. Mar atá gach scéal. B'fhéidir nár tharla sé díreach mar a deirim, nó gur bréagchuimhne é a tarraingíodh as an dabhach, ach cén fáth a n-airím é? Roghnaím gan dearmad a dhéanamh mar go bhfuil brí leis. Muna bhfuil, ní fiú mé.

A gruaig síos léi. A béal casta. An fhógairt ag seoladh uaithi mar íocshláinte. A súile geala. Tá siad uilig ag imeacht uaim. Giota ar ghiota, tá duine eile ag teacht i mo chuimhne, ach fanfaidh a cumhra liom. Boladh seasmaine, boladh an cheireacháin.

An oíche sin, tháinig muid ar chrann i lár na cathrach, crann a raibh bláth bán ag fás ar a ghéaga agus sheasaigh muid faoi lán iontais nó bhí sé beo le héanacha. Sheasaigh mé faoi aréir liom féin agus seasfaidh mé faoi arís anocht. Fágaim an seomra ag Gare de Nord agus déanaim mo bhealach ann. Caidé atá ionainn ach beirt chaillte ag cruinniú cuimhní agus ag déanamh ceangail éidearfa. Smaointím ar an ardú croí, an gealladh sna súile agus ansin smaointím ar an easpa agus cronaím buairt chealgach an ghrá atá caillte ionam. Ar an traein, tá stócach scór bliain, le gruaig fhada scrábach, ina shuí uaim. Amharcann muid ar a chéile.

Tá mé ag dul ar ais go dtí an crann, áit ar fhan muid seal ag éisteacht leis an fhuaim is aistí — fuaim éanacha ag ceol i lár na hoíche, nó tháinig muid ar an aon chrann sa chathair a dtagann na héin thart air le ceol i ndorchadas na hoíche.

Roimh an Rabharta Mhór

Nuair a thráigh sé, shiúil muid uilig síos i dtreo na farraige. Chuaigh an taoide i bhfad amach agus chonaic muid an gaineamh ag nochtadh áit nach raibh ann ariamh go dtí seo ach farraige. Shúigh an fharraige an t-uisce uilig ar ais chuici féin, a breith chuici, gur fágadh an trá titim. Rith an t-uisce ina sroite agus ina srutháin le fánaí, ag fágáil claiseanna sa ghaineamh. Ba rud as an ghnách é agus bhí muid ar fad tarraingthe síos ina threo ar chúis inteacht. Chruinnigh an pobal agus shiúil muid síos linn inár múrtha.

Chonaic muid na sliogáin dhaite ina luí ar an trá. Chuir muid inár bpócaí mar chuimhneacháin iad. Chonaic muid éisc tráite, ag lúbarnaigh ar an ghaineamh. Shiúil muid linn síos ag amharc ar an fharraige chiúin i bhfad síos uainn. Bhí feamnach agus clocha, smug éisc, píosaí plaisteacha agus ainmhithe beaga farraige thart fánár gcosa. D'fhéach muid suas an cladach. D'amharc na bádaí a bhí fágtha thuas ansin ar an trá fholamh chomh greannmhar ar fad, iad chomh hard ar bhéal na trá i bhfad uainn, ina suí ar an triomlach ar a leathbholg.

Shiúil muid linn síos ar urlár na farraige agus sheasaigh muid ansin ag amharc ar an radharc a bhí romhainn. Sheasaigh muid ansin tamall fada ag amharc amach ar an áit ar ghnách leis an fharraige a bheith. Shíl muid é a bheith galánta,

galánta ar fad. Bhí suaimhneas ann. Suaimhneas agus síocháin aisteach. Shíl muid gur mhair sé i bhfad.

Seomra Feithimh

Dheamhan a fhios agam cá fhad mé anseo. Na slóite síoraí
thart orm, cé nach n-aithním aon duine beo. An bhean adaí
thall, tá sí ag mairgní ó tháinig sí isteach. Fear eile ag titim siar
ina chodladh. Cuid mhór i gceart daoine. Beidh orm fanacht
go scairtfear orm; cé bith áit a bhfuil mé. Ach, tá sé teolaí anseo
agus is maith is fiú sin. Mothaím an bheatha ag teacht ar ais
sna lámha agus nach ar na lámha céanna atá an tseanchuma
chaite, méara cranracha. Beidh siad sean, bíodh geall air. An
créatúr romham; an drochbhail atá air leis an fhuil ag doirteadh
anuas óna shrón agus é ag titim ina chodladh; shílfeá go
dtabharfadh duine inteacht aire dó — thabharfainn féin dá
mbeadh maith ar bith ionam. Is iontach an méid gága atá ar
mo mhéara, iad dóite tirim. Dá gcuimhneoinn rud inteacht a
chur orthu a dhéanfadh bog iad arís mar chraiceann girsí —
agus tá na rudaí sin faoin chraiceann agam i gcónaí; na ciaróga
dubha a bhíonn ag crúbadaí agus ag snámh thart. Bím ag
piocadh orthu, ag iarraidh a bheith á ndísciú, ach tá oiread
ann nach dtiocfaí coinneáil suas leo. Tá mé dúthuirseach ag
inse daofa ach dheamhan aird acu orm. Tá an fear seo thall
ag stánadh anall arís; b'fhéidir go bhfuil mé ag amharc síos
barraíocht ar mo lámha? Níl a fhios agam an aithníonn sé mé
— ní aithnímse eisean. B'fhéidir gur cheart domh é a aithint.

Tá sé ag gáire anall orm. B'fhéidir gur simpleachán é, nár aifrí Dia orm é; nó gur mise a bhí ag caint os ard, nó ag amharc síos barraíocht ar mo lámha — na féitheoga cosúil le géaga orthu agus gága mar ghearbóga a bheadh ar lámha iascaire nó ar sheanbhean, ach is seanbhean mé. Agus ní mise is measa. Déarfadh mo mháthair i gcónaí: 'bheirim buíochas do Dhia go bhfuil mé chomh maith agus atá mé'. Ní cuimhin liom mo mháthair mórán, ach bhí sí chomh maith dúinn ar achan dóigh, nó gur tharla an rud a tharla ... rud a bhí tubaisteach, cé bith rud é. Greannmhar an dóigh a n-imíonn achan rud ar ceal mar cheo. Níl a fhios cá bhfuil sí anois — sa bhaile, creidim, leis an chuid eile acu, ag fanacht orm. Strainséirí uilig atá thart orm. Duine amháin féin ní aithním. Girseach bheag ina codladh i mbaclainn a máthara, an tseoid, cuma bhrónach uirthi. Fear thuas ag cur amach a thóna sa bhocsa, cé bith is ciall dó a bheith ansin ag spalpadh leis ar fad? Bhí girseach bheag agamsa uair amháin, bhí sí chomh beag agus go dtiocfadh leat í a thógáil i do dhá lámh agus a phógadh. Tá tú galánta, a dúirt bean de chuid na comharsan; tá tú chomh galánta agus go dtiocfadh liom tú a ithe. Chuir sí lámha beaga an linbh isteach ina béal agus rinne mar a bheadh sí ag ithe na méar. Thóg mé ar ais an leanbh. Ansin bhain duine inteacht domh an leanbh agus ní fhacthas ní ba mhó í. D'imigh sí agus bhí sé mar a tharraingeofaí mo chroí as mo chliabh. Níl a fhios agam ar cheart domh labhairt leis an bhean ag an chuntar, ach ní bheadh a fhios agam caidé le rá; an oiread sin rudaí, an oiread sin rudaí agus gur deacair smaointiú ar rud ar bith. Caidé seo a déarfadh na seandaoine fada ó shin ... níl mé ábalta cuimhneamh, imíonn achan rud as mo cheann. Nach trua nach dtiocfadh liom a dhul chun an bhaile ... cé bith cad chuige ar chuir siad ar shiúl mé sa chéad dul síos. Ag magadh fúm, b'fhéidir. Creidim gur ag fanacht liom atá siad uilig, m'athair agus mo mháthair agus na daoine eile uilig atá ansin, sa teach. 'Mo Mhaigí Bheag féin,' a déarfadh m'athair go deas. Tá siad uilig ansin sa teach go fóill agus mise bocht i mo shuí anseo i mo sheóman ag fanacht. Níl a fhios agam cén fhad mé ag fanacht anois. 'An bhfuil tú ag tabhairt buidéal tae suas chuig do Dheaidí beag?' a déarfadh Sisí Bhriainigh liom —é thuas ansin ar an phortach ag obair ó dhubh go dubh. Níl úsáid ar bith le do chineálsa thart anseo — nach greannmhar an rud a dúirt sí liom, agus chuaigh m'athair isteach thuas acu gur thug sé focal le hinse di. Fear breá a bhí ann m'athair, thaire na sé troithe. Bhí an dream sin uilig mór. Tá mo mhála anseo ag mo chosa; caithfear súil a choinneáil ar rudaí nó tá an áit dubh le gadaithe — sin an rud a dúradh liom ag fágáil an bhaile domh. D'fhoghlaim mé an méid sin. Choinnigh mé achan rud liom go cúramach nó beidh siad uilig a dhíobháil lá an bhreithiúnais. Nár dheas fáil ar shiúl ón áit seo ach caithfidh mé fanacht go foighdeach. B'fhéidir gur cheart domh a ghabháil suas chuig an chuntar, ach bhagair sí orm an t-am deireanach. Bíonn siad iontach gnoitheach, na créatúir, agus cha dtig cur isteach orthu. D'amharc an fear sin anall orm, ach chrup sé a shúil, an fear a bhfuil a lámh briste. Nach olc an bhail atá orainn. Tá mise ádhúil; bheirim buíochas do Dhia na Glóire achan lá go bhfuil mé chomh maith agus atá mé. Ba mhaith liom dá stadfadh an fear sin ag scairtí, é chomh callánach le gé, ag fógairt a ghnoithe don tsaol mhór. Tá siad ag teacht agus ag imeacht, mar sin féin, agus mise bocht i mo shuí anseo liom féin. Ní thugann aon duine aon aird siar orm. Ach beidh sé i gceart nuair a bheas mé ar ais sa bhaile. Tá mo mhála liom agus m'uaireadóir — tá sí orm. Ná fiafraigh díom cén t-am é — creidim go bhfuil sé thaire am tae. Ní thabharfadh siad cupa tae féin duit anseo ach ní ghlacfainn uathu é. Ná heitigh bia ná deoch, a déarfadh siad, ach níl ann sin ach seanphisreog. Is mairg a d'ólfadh tae dubh ar scor ar bith. 'A Mhaighréad,' a déarfadh an máistir, 'cé atá saor ó throscadh agus tréanas lá saoire agus carghais?' Sheasfainnse suas go bródúil. 'Iadsan atá saor ó throscadh agus tréanas: daoine tinne, mná ag iompar clainne, lucht oiliúna, lucht trom oibre, daoine nach dtáinig go haois céille agus iadsan atá lagbhríoch le seanaois.' 'Girseach mhaith, suigh síos,' a déarfadh sé. D'imigh siad agus d'fhág siad mé, na daoine sin uilig. Tá sí ag stánadh anuas orm anois cosúil le máistreás scoile. Níl a fhios agam an bhfuil mé anseo i bhfad nó cén t-am de lá é, nó cén lá atá ann. Ní maith domh amharc ar m'uaireadóir nó ní insíonn sé a dhath domh níos mó, níl a fhios agam cad chuige a gcaithim é ach tá sé deas ar mo lámh. Ba ghnách liom a bheith ábalta an t-am a léamh. Ba ghnách le lámha míne a bheith orm ach anois tá siad cnapánach cosúil le géaga crainn nó cipíní. Bhí siad mín mothar agus anois tá siad ite le gága. Cosúil le Coróin Mhuire atá siad le gach alt chomh mór le cloch. Déarfainn paidir ach gurb é go bhfuil na focail uilig ar shiúl amach as mo cheann. D'imigh siad mar a scaipfeadh scaoth éan ó chlaí. Bhí na paidreacha uilig agam go maith. Anois, smaointím ar Dhia agus déanann sin gnoithe. Luímse ar mo leaba , mar a shíntear mé san uaigh; druidim mo shúile agus ghnímse faoistin chrua. Agus nuair a dhruidim mo shúile feicim aghaidheanna ag teacht as an dorchadas ach ní aithním aon duine beo. Dá ndéanfainn mo bhealadh 'na bhaile, bheinn ábalta casadh leo uilig arís, na daoine sin, mo chlann, agus bheadh achan rud i gceart. Luím sa leaba agus fanaim leis an chéad rud eile a theacht, sin a mbíonn de. Ní bhím ábalta mo shúile a dhruid corruair ach ag amharc ar na haghaidheanna romham. Corruair sílim go bhfuil mé mar an síol a sceith an scillig, fágtha liom féin ar an bhlár aimrid. Bhí a fhiacla go léir ar a gcur is iad géar, chuir siad fuil i mo phluc cé gur tanaí mé. Greannmhar na rudaí a thig isteach i do cheann? Mothaím an teas ag éirí i mo chorp. Is mór an gar mé i mo shuí. Caithfidh mé suí go ciúin fad agus a mhairfidh sé. Rud inteacht a tháinig orm an t-am sin fosta, níl mé cinnte caidé a bhí ann, bhí mé go breá go dtí sin, ach ansin bhí lear dochtúirí thart orm is iad uilig ag amharc anuas orm. Mothaím corruair go bhfuil mé cruptha suas cosúil le toradh tirim seargtha, fágtha ar bhun an bhocsa. Caithfidh sé go dtearn Dia dearmad domh. Ba ghnách le soilse a bheith le feiceáil amach an fhuinneog ach anois níl aon cheann, tá an baile uaigneach. Seo í ag amharc anuas orm arís. Tá súil agam gur mo shealsa é gan mhoill, ach níor scairt siad m'ainm go fóill. Maighréad, sin m'ainm, tá a fhios agam an méid sin. Maigí Bheag a thabharfadh m'athair orm. 'Goitse aníos anseo agus suigh ar ghlúin d'athara, a Mhaigí Bheag, go bhfeice muid thú.' Agus b'fhéidir go ndéanfadh sé iopadaí curaí ar a ghlúin. Ba bhinne liom a ghlór ná ceol an tsrutháin. Sin nuair a bheadh spionn maith air. Dá mbeadh sé ag leanbaíocht, rachadh muid uilig a mhagadh faoi, ach dá mbeadh sé goirgeach, scaipeadh muid — áit ar bith a bhfaighfeá poll: siar faoin leaba, amach go cnó na gcearc, ach ní raibh neart aige féin air, muidinne a thógfadh an corraí air d'aonghnoithe, agus muid féin a bheadh thíos leis. Tá siad uilig sa bhaile anois ag fanacht liom ach níl a fhios agamsa cá bhfuil mé. Níl a fhios agam cé mé féin nó cá háit a bhfuil mé agus sin cnámh Dé na fírinne. Tá an saol chomh casta amanna nach bhfuil a fhios agam caidé an dóigh a dtig linn ciall ar bith a dhéanamh de. 'Ó,' a déarfadh m'athair, 'nach sa tsaol atá an abhóg?' Agus mo bharúil ná gur an abhóg cheart í. Bhí an bhean sin istigh

sa teach arís ag gabháil fríd mo chuid rudaí agus ag cur
deireadh bunoscionn. Is é an diabhal féin a chur chugam í,
bíonn sí do mo chéasadh an méid sin. Tá síneadh na láimhe
inti fosta. Níl a fhios ag aon duine go bhfuil mé ann. Lean mé
nathair nimhe síos an tsráid inné; ag tarraingt ar an teach a
bhí sé. Lean mé é, an gadaí, agus chuaigh sé i bhfolach i measc
an bhruscair i gcúlsráid. Bhí eagla orm a ghabháil a chóir.
B'fhéidir dá rachadh sé go dtí an teach go n-íosfadh sé na
luchóga, a dúirt mé liom féin, nó tá an áit beo leo. Gheobhainn
cat ach ab é an fuath atá agam orthu. Chóir a bheith gurbh
fhearr liom luchóga. Ní bhaineann na luchóga de na héanacha.
Dheamhan ar miste liom fá na luchóga beaga ach na luchóga
móra, ag scríobadh an oíche ar fad agus ag rith trasna na
síleála. Bíonn an leaba chomh fuar agus go mbíonn seacht
sraith éadaigh orm a luí. Níl a fhios agam caidé an dóigh a
n-éirím ar chor ar bith leis an mheáchan agus is maith liom
luí ansin isteach sa lá, beag beann ar an tsaol, ag smaointiú ar
rudaí beaga agus an saol atá romhainn. D'fhéad domh a bheith
i mo bhean rialta, ag urnaí achan lá le Dia agus ag tabhairt mo
shaoil suas Dó. Smaointím ar an turas anonn go dtí an saol
síoraí agus amanna feicim solas geal amach romham. Siúlaim
i dtreo an tsolais ach imíonn sé arís roimhe mo dhá shúil.
Bíonn eagla orm roimhe an dorchadas amanna, agus amanna
eile thig liom luí ansin fada go leor le mo dhá shúil foscailte
ag ligint thart an ama. Imíonn sé go gasta, níonn sé tharam
cosúil le habhainn. Mothaím gur mé grinneall na habhna
agus go bhfuil an t-uisce ag rith tharam go bog. Feicim
cruthanna iasc, eascann; agus ansin cuirim casaíocha díom
leis an mhothú a chuireann sé i mo chraiceann. Ní maith liom
eascainn agus bíonn siad ag snámh fríd m'fhéitheoga, mothaím
iad san oíche. Ach coinníonn na glórtha cuideachta liom. Bíonn

siad mar chosaint agam. Iad chomh lách. Caidé mar atá tú inniu, a Mhaighréad? Caidé mar atá na seanchosa? Insím daofa fá mo bhuarthaí agus éisteann siad go foighdeach. Tá siad cineálta. Bíonn laetha nach n-éirím amach as an leaba ar chor ar bith, fiú le dhul 'na leithris. Bím róthuirseach agus luím liom ansin gan amharc siar. Mothaím an fliuchlach ag spréadh síos mo scoróg ag téadh mo mhásaí. Nuair a éirim ansin, téann an fuacht go dtí na cnámha ionam, ag síothlú isteach go dtí an smior. Ní fada anois go dtig fear na bhfiacal cam agus beidh mé réidh leis. Bhí lá den tsaol a raibh fear breá agamsa agus clann againn agus bhí achan rud níb fhearr ná a chéile ach d'imigh sin, cé bith áit a n-imíonn sé. Tá sé ag fanacht liom anois sa bhaile, dá dtiocfadh liom fáil fhad leis. Chuir siad sa teach sin mé. Seanteach gránna fuar agus d'fhág siad mé. Dá mbeadh sé le déanamh arís agam.... Thug siad leo mo bhabaí fosta, is cuimhneach liom iad á thabhairt leo. Bhí an teach lán daoine an lá sin, strainséirí uilig. Ní mhaithfidh mé go brách daofa é. Achan ghiota domh ag athrú go dtí nach bhfuil a fhios agam gur mé féin atá ann níos mó. Dúirt siad uilig go raibh mé iontach aclaí nuair a bhí mé óg. Is mé a bhí maith ag an léim fhada agus bhuailfinn iad uilig ag an rásaíocht. Is mé a bhí gasta, is cuimhin liom sin. 'Cá bhfuil tú ag gabháil leis an deifre sin atá ort?' a déarfadh siad. Ag déanamh gar do mo mháthair bheag. Má thiteann tú ná fan ... ach bheinn i bhfad ar shiúl. Tá an smutachán sin ag amharc anall orm ar fad leis an tsoc ghránna sin buailte thuas air. Níl a fhios agam an bhfaca mé ariamh é, ach ní aithním duine ar bith. Ní aithním mé féin sa scáthán. Bíonn orm mo lámh a chur suas. Feicim duine ag croitheadh a láimhe ar ais agus bíonn a fhios agam gur mé féin atá ann. Amárach an Domhnach, lá beag brónach, cat ar an fharadh agus Bilí a phógadh. Tá cnapán ar mo lámh, shílfeá gur rísín é. Bím á phiocadh, ag déanamh gur cheart dó a theacht liom. Caithfidh sé gur amach as siopa a tháinig sé nó amach as Garradh na nAinmnithe ... dá n-inseoinn sin do dhuine ar bith, ní chreidfeadh siad mé. Na dathanna deasa a bhí ar a chraiceann, bhainfeadh siad an t-amharc as dó shúil, é breactha le dearg a bhí mar fhuil, snáithe ar dhath na gréine fite fríd agus dath glas agus gorm thart uilig air. Shleamhnaigh sé síos cúlsráid agus d'amharc sé ar ais orm sular imigh sé isteach faoi charn bruscair. Agus an aghaidh a bhí air, shílfeá gur aghaidh duine é. Ag teacht fá choinne mo linbh a bhí sé. D'fhág mé an teach gan mo bhata agus ach gurb é sin bhuailfinn greadadh air. Deir siad gur drochádh pilleadh agus lean mé orm. Ní raibh dúil ar bith agam nuair a thug siad amach go dtí an áit sin mé, thug siad drochbhail amach orm. Bíonn siad ag déanamh go bhfuil mé bómánta, feicim sna súile acu é agus leis an dóigh a mbíonn siad ag plobaireacht liom. Nach ceart í, an créatúr. Sílim amanna gur i dteach na ngealt atá mé. Caithfidh tú seo a dhéanamh agus caithfidh tú siúd a dhéanamh. Cad chuige a dtagaim isteach anseo? Siúlaim síos an halla, isteach sna seomraí ach níl cead agam sin a dhéanamh. Luigh mé síos uair amháin ar leaba fholamh. Bíonn pianta síos le mo thaobh agus éirim te agus bíonn orm luí síos sula dtitim. Chuir siad i mo leith go raibh mé ag goid. Caidé an gnoithe domhsa a bheith den obair sin? Ba dhána an mhaise daofa é. D'fhág siad sa bhaile mé lá amháin. Cha raibh mise ag iarraidh a dhul ach b'éigean domh é agus thug siad go dtí an teach fuar sin arís mé. Bhí na soilse ag dealramh sa charr acu, ag gabháil thart agus thart. Bhí teach beag deas againn uair amháin agus bhí sólás agus cuideachta ann, teach beag lán suáilce ach nach gasta a athraíonn an saol. Níl aithris ar an mhéid atá romhainn.

I m'óige shuífinn thíos ar an chladach laetha fada ag coimhéad ar an fharraige ag líonadh, ag smaointiú liom ar an tsaol, agus níl a fhios agam ar thuig mé pioc amháin de. Trí bliana a bhí mé nuair a cuireadh chun na scoile mé den chéad uair. Ní ligfinn do mo mháthair siúl ag mo thaobh agus thug mé uirthi leanstan domh ar an taobh eile den bhealach mhór. Nach mé a bhí ceanndána? Shiúil sí siar uaim ar an taobh thall ag coinneáil súil orm. Feicim na páistí eile agus cluinim na héanacha an lá sin agus mothaím trua do mo mháthair go fóill. Is fada ón áit sin mé anois, fágtha le bheith caite amach mar ghríodán a gheofá i mbun buidéil. Mothaím go raibh mé anseo roimhe, san áit cheannann chéanna, ag déanamh na rudaí céanna agus na smaointe céanna ag gabháil fríd mo cheann, ach ní thiocfadh leis sin a bheith fíor, ní raibh mé san áit seo ariamh roimhe, tá a fhios agam an méid sin, gan thart orm ach daoine coimhthíocha agus muid uilig ag fanacht le rud inteacht, dá dtiocfadh liom smaointiú caidé. Dá gceolfadh duine amhrán féin. Na hamhráin dheasa a bhí agam, níl mé ábalta iad a tharraingt orm anois ach bhainfinn an oiread suilt as á gceol nach stadfainn daofa ó mhaidin go hoíche. Shíl mé gur mé féin a bhí go maith agus ba chuma liom cé a bhí ag éisteacht. Is iad a thógfadh mo chroí. Ceol suas amhrán meidhreach anois, a Mhaighréad, a déarfadh siad, ceann a chuirfeas spionn maith orainn. Agus bheinn féin ar obair. Ní chaití iarraidh orm an dara huair. Cosúil le céirseach le héirí gréine a bhí mé, chaithfinn a bheith ag ceol. Tagann éan go dtí an doras cúil chugam sa teach sin. Sin an t-aon chara atá agam. Spideog bheag ... agus tugaim bia dó. Labhraim leis agus léimeann sé aníos ar mo ghlúin. Suíonn sé ceann crom gan muineál agus itheann sé amach as mo lámh. Tá muid díreach cosúil le chéile, gan cara eile ar domhan againn.

Mothaím a chroí beag ag preabadh istigh. Tig na héanacha móra nuair nach mbímse ann agus itheann siad an bia a chuirim amach, tchím iad amach an fhuinneog agus cuirim ruaig orthu. Colmáin agus na héanacha móra dubh is bán, ach, ansin bímse cleasach agus cuirim an bia siar faoi thom, áit nach dtig leis na héanacha móra fáil fhad leis. Tig siad anuas agus cacann siad ar an éadach a bhíos crochta amuigh agam le triomú, sin an meas atá acu orm. Ach, an spideog bheag, bíonn sise go maith domh i gcónaí. Níl a fhios agam cá bhfuil an teach sin anois. Amanna imíonn sé amach as mo cheann. Cosúil le toit. Níl a fhios agam cad chuige a dtagaim isteach anseo, lá i ndiaidh lae, é lán le daoine mire, daoine scoite, lucht an ainchreidimh bhréin. Tá mé i mo shuí anseo anois agus níl a fhios agam cá bhfuil mé. Níl a fhios agam cad chuige a bhfuil mé anseo nó caidé a thug isteach mé. Dá mbainfeá an chloigeann díom, ní thiocfadh liom inse duit. An bhean atá ina suí os mo choinne, a bhfuil an bindealán thart ar a cos, chonaic mé roimhe í ach níl a fhios agam cá háit. Tá súil agam gur ag fáil bus chun an bhaile atá muid nó tá mo sháith agam de. Tá mo mhála pacáilte liom ag mo thaobh. Nach greannmhar an dóigh a bhfuil an saol, leath ag teacht agus leath ag imeacht. Bhí bean choimhthíoch sa teach agam, í ag gabháil thart fríd na seomraí ag amharc an raibh a dhath a dtiocfadh léi goid. Lean mé thart í ag coinneáil súil ghéar uirthi. Thoisigh sí ag caitheamh rudaí amach. Litreacha, páipéir thábhachtacha, bocsaí. Ag rá nach raibh úsáid leo agus go raibh boladh astu. A leithéid d'amaidí. Ag iarraidh mé a chur amach as an teach. Glasálaim an doras uirthi, breast í. Níl aon duine ag gabháil a bheith ag éirí thuas ormsa. Suigh síos ansin, ól sin, bain díot, cuir ort—Arú, ith plaic de mo leis, a ba cheart domh rá. Cuireann sí mé fríd mo chuntas in achan dóigh. D'abróinnse léi é ach gurb é go mbím an méid sin fríd a chéile aici. Í féin agus a cuid ceastóireachta, m'anam le Dia. Smaointím ar mo mháthair agus ar an mhéid a dteachaidh sise fríd, a saol caite ag tabhairt aire do dhaoine agus í ag caitheamh a saoil féin. An méid a rinne sí dúinne … agus caidé a bhí ar a shon aici? Í ina luí sa bhaile anois agus gan mise ábalta fáil fhad léi le lámh chuidithe a shíneadh chuici, nach mór an peaca é. Tá sí ag amharc anuas orm. An é sin m'ainm atá sí ag rá? Sin mo chéad ainm, Margaret, cinnte. Leanann siad chun an bhaile mé corruair. Ní ligim isteach iad. Cnagann siad ar an doras agus brúnn siad rudaí isteach poll na litreach, ach dheamhan sotal a bhfaighidh siad uaimse. Luím sa leaba ag smaointiú. Ní bhím ábalta codladh go minic, luím ag smaointiú agus dheamhan a fhios agam cad air a mbím ag meabhrú ach bíonn faoiseamh ann, creidim gur ag smaointiú ar mo shaol a bhím agus ag iarraidh é a chur i gceann a chéile, nó ag smaointiú ar an dorchadas. Am ar bith a mhothaím eagla an bháis, tagann daoine chugam agus tugann siad aire domh. Coinníonn siad cuideachta liom. Ní aithním iad, aghaidheanna coimhthíocha, ach corruair tagann daoine a n-aithním, ní cuimhin liom anois cé hiad ach tá mé cinnte gur daoine iad a n-aithním. Tá sí ag labhairt liom. Tá dearmad glan déanta agam. *Yes, of course. I'm sorry, I forgot why I'm here, but I remember now. I just wanted to ask, which way is it? I can't find my way. Yes, Margaret is my name. Margaret, but nobody calls me Margaret. It's Maggie they call me. Maggie is my name. Yes.*

Gach rod

Tá Achan Rud i gCeart

San ionad siopadóireachta, bhí na daoine ag stopadh agus ag stánadh. Bhuail eagla cuid acu agus d'fhág siad uathu a mbascáidí. An méid a d'fhan, lean siad orthu ag stánadh, aghaidheanna ceisteacha orthu: Cad chuige nach gcuidíonn tú? Nach dtig leat ball éadaigh a chaitheadh uirthi?

Bhí a fhios agam go raibh siad ag amharc orm, 'mo lochtú. Sheasaigh mé ansin le mo bhascáid i mo lámh, gan ann ach buidéal fíon dearg agus bonnóg aráin bháin.

Chruinnigh tuilleadh as coirnéal eile den tsiopa agus sa deireadh tháinig fear slándála a raibh cuma Pholannach air le raidió ina lámh; culaith néata ghorm air. Mhoilligh sé nuair a chonaic sé í, ansin sheasaigh sé. D'amharc sé thart ar na haghaidheanna eile ach ní raibh tuigbheáil níos glinne le fáil. D'amharc sé uirthise. Bhí sí ag toiseacht a chrith ar an urlár. Ní raibh cuma air go raibh a fhios aige caidé le déanamh agus sheasaigh sé ansin mar dhuine de na finnéithe eile.

Ghlan mé mo sceadamán le rudaí a shoiléiriú: 'Ní raibh de dhíth ach bainne agus arán agus píosa feola don dinnéar.' 'Tá achan rud i gceart!' Ach ní thiocfadh na focail agus sheasaigh mé gan dadaidh a rá.

Bhí sí ina cnap ar an urlár ag crith.

Chuaigh an fear slándála suas fhad léi. Chuala mé trup gardaí nó otharchairr. Chrom an fear slándála agus chuir a lámh ar a gualainn. Chroith sé í agus d'fhiach í a chorrú. Chas sé thart agus d'amharc sé orm.

D'amharc na daoine eile orm. Thabharfainn iarraidh rith dá ligfeadh na cosa domh.

'Tabhair deoch bheag uisce di,' a dúirt mé.

'Ní féidir uisce a thabhairt di,' a dúirt an fear slándála. 'D'fhéadfadh sin a bheith dochrach di.'

Bhí na daoine eile ag brú agus ag cromadh isteach níos cóngaraí. Ní raibh mé ábalta í a fheiceáil i gceart níos mó.

'Amharc ar a cuid liobracha,' a dúirt mé. 'Tá siad gorm. Tabhair deoir uisce di.'

'Chuala tú an fear. Ní bheirtear uisce d'othair. Thiocfaí dochar a dhéanamh.'

'Níl a fhios agaibhse. Tá sí ar crith.'

Thoisigh na soilse sa tsiopa ag dul as, ceann ar cheann, agus d'éirigh an fear slándála.

Tháinig glór thar na callairí: Tá an siopa seo dúnta. Déanaigí bhur mbealach go dtí an tseiceáil amach, le bhur dtoil. Tá an siopa seo anois dúnta.

'Déanaigí bhur mbealach amach anois,' a dúirt an fear slándála.

Fríd na daoine, chonaic mé lámha s'aici ar an urlár agus bhí siad cosúil le lámha caola máthara. Rinne mé mo bhealach isteach fríd na daoine de réir mar a scaip siad. Bhí fuil ag teacht óna cosa, sileán dearg a thit ar na tíleanna agus a shil síos idir gága an urláir, taobh leis an ghloine ó na potaí briste. Bhí a corp craptha suas agus a sciatháin fillte faoina hucht, a súile druidte.

Chuaigh mé ar mo ghlúine ag a taobh.

'A Lorna, a Lorna, an gcluin tú mé? Mise atá ann. Tá mé buartha ... an gcluin tú?'

Mhothaigh mé lámh an fhir shlándála ar mo ghualainn agus tharraing sé siar mé. 'Seasaigh siar. Caidé a bhí tú ag rá léi?'

D'fhoscail a súile ach bhí sí gan urlabhra. Bhí crith sna liobracha agus í ag análú go géar. Rinne mé iarraidh lámh a chur uirthi ach tarraingeadh siar mé agus tugadh orm seasamh. Lasadh na soilse uilig arís agus bhí beirt fhear agus bean otharlainne ansin le cathaoir rotha. Rinne siad neamhiontas de na creacha ar a cosa agus thoisigh siad a dh'iarraidh í a thabhairt thart.

Smaointigh mé ar an fheoil. Smaointigh mé ar an dinnéar agus ar an anlann a bhí le déanamh. Ní raibh rud ar bith eile uainn. Bhí achan rud i gceart.

Ba ise a thiomáin, mar go raibh mise i ndiaidh cúpla deoch a bheith agam, agus léim sí sa charr gan uirthi ach léine fhada gheal agus thiomáin go dtí an t-ionad siopadóireachta.

'Cén dóigh a dtig leat tiomáint costarnocht?' a dúirt mé léi.

Bhí athrach aoibhe sa charr agus bhí sí ag ceol. Bhí mise i mo shuí ag amharc amach an fhuinneog ag ligint orm féin nach raibh mé ag éisteacht. Guth neamhmhillte s'aici ina ghuth neamhchúthalach, réidh le briseadh. Nuair a deirim rud nach maith léi, tiontaíonn sí ar an cheol, ach bhí seo difriúil. Anois bhí sí ag ceol go binn mar bheadh ceoltóir gairmiúil. Níor lig sí a dhath uirthi féin.

Mhothaigh mé an nimh ag cúrsáil sna féitheoga. Choinnigh mé istigh é agus roimh i bhfad bhí achan rud glan agus fíor cosúil leis an aer úr lá crua seaca. Mhothaigh mé suaimhneas nach raibh agam le fada.

Labhair mé léi go ciúin réidh. Mhínigh mé rudaí di agus chuala sí. D'inis mé gach rud di ach bhí na focail fuar agus thit siad mar dhartáin.

D'éirigh mé as an charr agus shiúil mé isteach go dtí an t-ionad siopadóireachta go réidh cinnte, fad agus d'fhan sise sa charr ag ceol léi féin.

An Duine Contráilte *DIFFERENT*

Glaoch teileafóin a ba thús leis an rud uilig. D'fhéad mé fios a bheith agam ón chéad lá. Muna raibh mé chomh sáite ionam féin. Ach, sular chas mé le Jenny, bhí mé i lagmhisneach. Las sí suas mo laetha agus ba sin an rud a ba mhó a shantaigh mé ag an am. Ach fágadh goilliúnach mé. Mé féin is ciontaí. Cha dtearn mé ach barraíocht muiníne a chur i ndaoine áirithe agus más sin locht, bíodh aige, ach d'fhéad mé fios a bheith agam ó thús.

Ag an obair a bhí mé nuair a ghlaoigh an fón ar an deasc.

'An é sin Diarmaid?' a dúirt an glór. Níor aithin mé é.

'Seo Diarmaid, cé atá agam?'

'Coinnigh ar shiúl ó mo bhean.'

'Caidé...?'

'Tuigeann tú go maith, coinnigh amach uaithi nó beidh tú buartha.'

Mhothaigh mé ar tús go raibh mé féin ciontach as rud inteacht. Smaointigh mé siar. Ursula an chéad duine a tháinig chun cinn ach bhí sin i bhfad ó shin: 'Cé seo?' arsa mise. 'Caidé'n chaint atá ort?'

Chuala mé clic. Bhí sé ar shiúl.

D'fhiach mé é a chur as mo cheann; caidé a bhí ann ach glór éigin aduain a raibh an duine contráilte aige. Chuaigh mé ar ais i gcionn mo chuid oibre. Thóg mé óna ghlór go raibh sé i mbarr a chéile agus is trua a bhí agam dó i ndáiríre. Mhothaigh mé go raibh an glór i gcéin agus i bhfad ó mo shaol féin ach d'fhan sé liom, ag déanamh macalla i mo cheann. Tamall ina dhiaidh sin, thóg mé an fón agus ghlaoch mé síos chuig an fháiltiú.

'An glaoch deireanach, cé a bhí ann?'

Ní raibh a fhios aici.

'Cén uimhir a bhí aige?'

Dúirt sí go raibh bac ar an uimhir.

'Nár shíl tú sin a bheith aisteach, a Jessica?'

Lig sí osna.

'Níor thug sé a ainm?' arsa mise.

'Sílim ... ní cuimhin liom.'

'Má thagann glaoch domh arís le cosc ar an uimhir, tóg a ainm, ach ná cuir fríd chugam é, an dtuigeann tú?' D'fhág mé mar sin é.

Nuair a bhain mé an baile amach tráthnóna níor luaigh mé a dhath le Jenny, níor mhaith liom go sílfeadh sí go raibh rud ar bith cearr. Bhí muid le chéile corradh agus bliain anois agus rudaí ag socrú síos go réidh eadrainn. Lá amháin, tháinig sí le fanacht thar oíche, agus d'fhan sí liom ón lá sin amach. Ba sin deich mí ón am sin. Bhí caidreamh bríomhar againn ón chéad lá. Chaill mé laetha ón obair; inár luí suas go ham lóin leis an ghrian ag soilsiú isteach ar na braillíní, ar maos i bpléisiúr na colla, gan buaireamh sa tsaol orainn. Ní raibh muid choíche cinnte cén chéad eachtra eile a bhí romhainn. D'imeodh muid linn ar dheireadh seachtaine de réir mar bhuailfeadh an fonn muid. I ndiaidh míosa thug sí suas a hárasán, phioc muid suas a cuid rudaí sa charr agus bhog sí isteach liom. Sin mar a b'fhusa dúinn beirt, a d'aontaigh muid.

Bhí athruithe móra ag tarlú ina saol ag an am. Shocraigh muid go leanfainnse ag díol an chíosa go bhfaigheadh sise a cuid gnoithí in ord. Bhí sí síos go trí lá na seachtaine ag an obair ach bhí comhlacht úr caidrimh phoiblí toisithe aici féin agus a comhghleacaí, Louise. Bhí siad ag iarraidh cliant ón obair a mhealladh anonn go dtí a gcomhlacht féin. Gnáthrud, dar leo. Chuidigh sé go raibh meas ag na cliaint orthu, ach ba thréimhse dheacair daofa é agus rinne mé mo dhícheall a bheith tuigseanach.

Labhair mé féin is Jenny go minic faoinár gcaidreamh. Den chéad uair ina saol, dúirt sí, nach raibh sí ite le héad ná le hamhras. Rud a bhí ina chúis bróid agamsa, nó d'fheicfinn í lena cairde go minic: 'Louise, do bhróga ... tá siad galánta!' agus 'Tá mo chroí istigh sa sciorta, cá bhfuair tú é?' Labharfadh sí go moltach ach d'fheicfinn lasadh sna súile aici. Ach ní raibh sí mar sin liomsa. D'fhógair sí a grá go minic, agus is mé a shúfadh suas é. Ach, shíl sí cuid mhór do Louise, mar sin féin, i gcónaí ag caint ar chomh dóighiúil, agus chomh rathúil léi.

Ag an obair a bhí mé nuair a fuair mé an dara glaoch. Ar m'fhón póca a tháinig sé, rud a chur iontas orm. Bhí mé ar an leithreas ag an am. Bhí an uimhir ceilte ach bhí a fhios agam gurb eisean a bhí ann. D'fhreagair mé é as tréan feirge.

'Diarmaid?' a dúirt an glór.

'Cé seo?'

'Is cuma. Dúirt mé leat coinneáil ar shiúl uaithi. Níl mé ag gabháil a rá leat arís.'

'Éist,' a deirimse, 'Ní thuigim caidé'n mearadh atá ort, ach níl mise ag gabháil a chóir do mhná, níl a fhios agam caidé tá tú 'caint air ... tá an fear contráilte agat.' Bhí mé ag caint liom féin. Bhuail mé doras an leithris le mo dhorn.

Ag siúl ar ais san oifig domh rith sé liom gur duine de mo

chomhghleacaithe a bhí ag magadh orm. D'amharc mé thart ar an tseomra agus mé ag déanamh gáire ach ní raibh duine ar bith ag gáire ar ais. Cibé fear a bhí ag cur na nglaonna, bhí m'uimhir oibre agus m'uimhir phearsanta aige. Smaointigh mé scairt a chur ar na Gardaí, ach ar tús chinn mé scairt a chur ar Ursula.

Ní raibh a huimhir agam, bhí sé glanta ó m'fhón, ach bhí a fhios agam cá raibh sí ag obair. Fuair mé í furast go leor: 'Éist, seo Diarmaid, ná croch suas ... tá seo tábhachtach. Tá mé i ndiaidh cúpla glaoch aisteach a fháil ó fhear coimhthíoch, ag rá liom coinneáil amach óna bhean ... bhí m'ainm agus deireadh aige, chuir sé bagairt orm. Creidim go bhfuil seo cineál aisteach, ach ... níl tú ag feiceáil fear mire ar bith na laetha seo a mbeadh an chosúlacht sin aige?'

Bhí ciúnas fada ann.

'A Dhiarmaid, an bhfuil tú ceart go leor?'

'Tá mise i gceart....' Mhínigh mé di díreach caidé a tharla agus thug sí le fios domh nach raibh sí i gcaidreamh buan ar bith ar na moillibh.

'Cad chuige nach mbuaileann tú aníos ceann de na leatha seo?' a dúirt sí.

'Éist, níl ann ach mí-thuiscint, déan dearmad de. Labharfaidh mé leat arís.'

'A Dhiarmaid?'

'Caidé?'

'Tá mé buartha fút. Inis domh caidé mar a éiríonn leat.'

'Ceart go leor. Slán, a Ursula.' D'fhág mé síos an fón.

Rinne mé mo mhachnamh.

Nuair a chas mé le Jenny ar tús chonaic mé duine neamhmhuiníneach ar chúl an phearsa phoiblí a theilg sí; bhí sí i gcónaí gnoitheach le hobair, ag rith chuig foscailtí oifigiúla, coirmeacha ceoil agus a leithéid, ach ba dhuine eile í i mo chomhluadar. Bhí aithne aici ar go leor réalt agus iriseoirí, i gcónaí ag iarraidh orthu labhairt, nó airteagal a scríobh fá cibé rud a bhí sí féin ag cur chun cinn ag an am. Bhain mé sult as an fhuadar seo a bhí fúithi. Thagadh sí chun an bhaile scriosta agus ní stopadh an obair aige sin. Thoisigh a cairde ag teacht ar cuairt. Daoine galánta uilig a bheadh de shíor ag caint ar chúrsaí oibre. Bheadh cóisir sa teach agus ní thiocfadh leo an obair a sheachaint; ag cúlchaint, cé a bhí ag greadadh cé, agus mar sin de. Ceoltóirí agus aisteoirí, polaiteoirí agus lucht spóirt; rudaí a chonaic siad sna meáin shóisialta nó scéal a bhfuair siad greim rubaill air ag cóisir ... líonfadh siad féin isteach na bearnaí. Níl a fhios agam an raibh a fhios acu fiú cén obair a rinne mise, nó má bhí, ba bheag suim a chuir siad ann. Ach, ba chuma liom, ní fhéadfadh duine ar bith a rá nach raibh seasamh mo chodach ionam i gcomhrá. Chuirfinn mo ladar isteach agus d'amharcfainn anonn ar Jenny nó Louise is dhéanfadh siad gáire. Bhí Louise cliúsaíoch agus ciall aici de ghreann. Chaithfeadh Jenny an tsúil mhillte orm trasna an tábla. Cosúil leis an am a bhí beirt chliant úra thart don dinnéar. Bhí an chaint uilig ar mhargaíocht. 'Tá margaíocht cosúil le pógadh,' a dúirt mise. 'Caithfidh an té atá tú a phógadh a bheith á iarraidh.' Bhí scian sna súile ag Jenny domh ach nuair a thoisigh an bheirt ag aontú liom ní raibh na súile i bhfad ag leá.

Lá arna mhárach chuala mé uaidh arís. Téacs a tháinig isteach ar m'fhón póca agus an t-am seo bhí a uimhir ansin le feiceáil go soiléir, ní thiocfadh liom é a chreidbheáil. Léigh mé an téacs: 'Dúirt mé leat fanacht amach uaithi.' Sin a raibh ann, ach theip air a uimhir a cheilt. Nó b'fhéidir gur d'aonghnoithe a rinne sé é.

D'fhág mé síos an fón. Thóg mé arís é agus shiúil amach as an oifig. Sa halla, ghlaoigh mé ar an uimhir agus d'éist. Níor fhreagair sé, dar ndóigh.

Sheasaigh mé amuigh ar an tsráid agus las toitín. Bhí sé ag teacht ar am lóin agus an tsráid lán daoine. Ghlaoigh mé a uimhir sé nó seacht de chuarta. Bhí a fhios agam go raibh sé ansin ag smaointiú caidé ar cheart dó a dhéanamh ... ag iarraidh orm stad dá ghlaoch; fios aige go raibh sé i ndiaidh a uimhir a chur chugam de dhearmad. Sa deireadh, chuir sé as a fón agus aistríodh na glaonna chuig an gléas freagartha. D'éist mé go bhfeicfinn an mbeadh a ainm luaite ach ba ghlór uathoibrithe a dúirt amach a uimhir. D'fhág mé teachtaireacht: Tá a fhios agam cé thú féin, ná glaoigh orm arís ... nó is tusa a bheas thíos leis.

Bhí mé buartha chomh luath is a bhí na focail amach as mo bhéal ach sa deireadh ba chuma liom.

Phill mé ar mo dheasc. Chuartaigh mé an uimhir ar an idirlíon ach níor tháinig aon rud aníos. Smaointigh mé dá gcuirfinn glaoch air ó fhón anaithnid go m'fhéidir go dtabharfadh sé freagair ach bheadh orm fanacht go gcasfadh sé air a fhón. Bheadh sé ar a airdeall. Ach bhí a uimhir agam ar a laghad.

Níor chas sé air a fhón arís an lá sin, nó an lá dár gcionn. Fágadh mise as alt. Ní raibh a fhios agam cén chéad bhuile eile a bhuailfinn. Bhí mé ag amharc thar mo ghualainn gach áit a dtéinn.

Dé hAoine, ag teacht isteach ón obair domh, bhí Jenny san fholcadán. Bhí sí ag déanamh réidh le dhul go Londain lá arna mhárach don deireadh seachtaine chuig seoladh le Louise. Shín mé amach ar an tolg os coinne na teilifíse. Ansin ghlaoigh fón Jenny ar an tábla. Louise a bhí ann agus lig mé dó bualadh leis.

Sin an t-am a bhuail sé mé, mar bhuailfí mé le casúr. Ba mé an t-amadán.

Thóg mé fón Jenny. Bhí sé glasáilte. Scríobh mé uimhir an fhir ar bhos mo láimhe. Chuir mé as m'fhón agus shuigh mé ar an tolg ag coimhéad ar an teilifís go dtáinig Jenny amach as an leithreas. Bhí tuáille casta thart ar a ceann agus ceann eile fána brollach agus í ag ceol go haerach mar dhuine nach léifeadh an t-im ina béal.

'Tá mé ag ordú Diablo,' arsa mise, 'Ar mhaith leat rud ar bith?'

'An nglacfaidh sé i bhfad?'

'Tabhair domh d'fhón, tá mo cheallra reaite.'

Dhíghlasáil sí a fón agus ghlaoigh mé ar an bhialann. Shiúil mé thart ar an tseomra ag déanamh an ordaithe agus isteach liom go dtí an seomra folctha ag caint liom ar an fhón. Dhruid mé an doras i mo dhiaidh agus chuir mé deireadh leis an ghlaoch. Chuir mé uimhir s'aigesean isteach san fhón agus, siúráilte go leor, tháinig an t-ainm aníos: Nigel Briggs. Léim mo chroí agus thit sé. Chuir mé i gcéill a bheith ag caint liom ar an fhón.

Nuair a tháinig mé amach as an tseomra folctha, níor lig mé a dhath orm féin. Bhí sí ag déanamh pléiseam domh, bhí an méid sin soiléir. Chonaic mé fríthi go hiomlán. An ceol a bhí aisti, bhí sé bréagach. Bhí an chaint a bhí aisti bréagach. Bhí achan rud fá dtaobh dithe bréagach.

Thug mé an fón ar ais di. Bhí an tuáille bainte anuas óna ceann agus a gruaig fhliuch ina chlibíní crochta fána muineál. A rá is de go dtearn mé áras dá gruaig chasta dhubh agus gur chónaigh mé ann ar feadh i bhfad in aineolas. Chuir mé mo lámh ar a gruaig fhliuch. D'fháisc sí mo lámh go hionúin agus mhothaigh mé mo chliabh ag slogadh mo chroí. Tharraing sí isteach mé lena hucht. Lig mé dó tarlú go toilteanach nó bhí a fhios agam gur seo an uair dheireanach. Phóg mé a béal agus a muineál fliuch. Bhí mé ag iarraidh nach mbeadh sé fíor. Scaoil mé an tuáille agus thit sé go talamh. Thit muid siar ar an tolg agus rinne mé áras athuair dá gruaig. Cibé amhras a bhí ar m'intinn, shéan mé é, nó mhuscail an t-ainmhian ionam agus níor stad mé é. Luigh muid le chéile den uair dheireanach. An uair sin níor mhothaigh mé chomh scartha ó aon duine ariamh.

Maidin lá arna mhárach phioc Louise suas í sa charr agus d'imigh siad go dtí an t-aerfort le dhul go Londain. D'fhág mé slán léi ag doras an árasáin agus nuair a bhí siad ar shiúl, léim mé i mo charr agus lean mé iad.

Chan i dtreo an aerfoirt a chuaigh siad, ach suas na céanna go stáisiún Heuston. Lig Louise amach as an charr í os coinne an stáisiúin agus shiúil sí léi féin isteach ag tarraingt a mála ina diaidh. Choimhéad mé Louise ag tiomáint amach as an chlós agus thar an abhainn. D'fhág mé mo charr i spás tacsaí agus rith mé isteach i ndiaidh Jenny. Chonaic mé í ag siúl díreach i dtreo an ardáin agus isteach ar thraein a bhí ag triall ar Ghaillimh. Ba dheacair é a chreidbheáil, ach le gach bréag a dtug mé fianaise air, ba shoiléire an ghoin.

Shocraigh mé go gcaithfinn ól na dí seirbhe a dhéanamh. Phill mé ar an charr, thiomáin mé amach as an stáisiún agus thug aghaidh ar Ghaillimh.

Bhí a fhios agam go mbeinn ann roimh an traein, le ham sa bhreis, ach thiomáin mé mar an diabhal ann, mar sin féin. Ar an bhealach, bhí mé ag smaointiú ar na dóigheanna a dtiocfadh liom dochar a dhéanamh dó. Cén dóigh lena scrios? Bainfear éiric as, dúirt mé liom féin, ach ag an am chéanna, ní raibh mé cinnte. Bhí mé ag iarraidh fáil amach cé leis a ndéanfadh sí a leithéid. D'fhéadfaí go fóill gur míthuiscint a bhí ann, a dúirt mé liom féin.

I ndiaidh tamaill, thoisigh mé ag smaointiú caidé dá dtiocfadh sí amach i mBaile Átha Luain, nó baile ar bith eile, ach cén seans. Lean mé orm.

Nuair a shroich mé an stáisiún traenach i nGaillimh, d'fhág mé an carr sa charrchlós agus isteach liom. Bhí fiche bomaite le spáráil. Rinne mé amach dá mba amhlaidh gur chas sé léi ar an traein i mBaile Átha Cliath go dtiocfadh siad amach as an traein le chéile. Agus má bhí sé le bualadh léi anseo ag an stáisiún nach mbeadh sé anseo go fóill agus bheadh am agam déanamh réidh. Chaith mé súil thart ar an áit ach sa deireadh shocraigh mé an carr a thabhairt thart os coinne an stáisiúin agus suí ann.

Shuigh mé sa charr ach níor fhuaraigh an fhuil. D'éist mé le ceol agus chas mé suas an fhuaim. D'amharc mé orm féin sa scáthán. Cá fhad seo ag tarlú? Cé na bréaga eile a shleamhnaigh uaithi go héasca? Ní raibh seo tuillte ag duine mar mise.

Tharraing busanna agus tacsaithe suas os coinne an stáisiúin ag blocáil mo radhairc ar na doirse. Ansin, sula raibh a fhios agam é, bhí sruth daoine ag teacht anuas na céimeanna. Chas mé síos an ceol, ag coinneáil súil ghéar amach. D'imigh tacsaithe agus tháinig cinn eile. Scaip daoine achan bhealach. Ní raibh iomrá ar bith ar Jenny, ansin, thiar ar deireadh ar fad, seo amach léi agus an fón suas lena cluas.

Bhí sí léi féin. Chuaigh sí thart le taobh bus, ansin, shiúil amach as cúl an bhus agus rinne líne díreach anall i mo threo. Mar bheinn ar eitleán ag éirí ón talamh, mhothaigh mé an suíochán mo shlogadh siar. Chuaigh sí díreach thart liom ina cuid sáltaí arda gan aird aici ar a dhath, ag tarraingt an mhála, mar rud suarach, ina diaidh. Anonn léi go carr a bhí stoptha píosa suas uaim. Chonaic mé aoibh an gháire uirthi leis an fhear sa charr. Fuair mé spléachadh air. Chuir sí a mála sa bhút agus shuigh sí isteach sa toiseacht. Charbh fhiú leis éirí amach as an charr. Cha raibh sé mórán níos óige ná mé féin, ach bhí go leor le foghlaim aige. Phóg sí é agus thiomáin sé leis ina charr bhreá. Nuair a chonaic mé iad sa charr le chéile, sin an t-am a bhuail sé mé. Thit an tóin as gach rud.

Ní raibh a fhios agam caidé le déanamh. Ní raibh an méid seo oibrithe amach i mo cheann. Bhí mé leath ag dréim siúl suas chuige agus dorn a bhualadh sa smut air ach bhí siad ar shiúl uaim anois. Thiocfadh liom iad a leanstan ach bhí baol ann go bhfeicfeadh siad mé. Tharraing mé amach ag coirnéal na Faiche Móire agus chonaic mé an carr romham. Lean mé iad.

Smaointigh mé tiomáint isteach ina chúl. Nár dheas a haghaidh a fheiceáil nuair a tchífeadh sí cé a bhí ann? Ach choinnigh mé an chloigeann. Lean mé iad síos na duganna, thart ag an Chladach agus amach Cnoc na Cathrach. Ag barr Chnoc na Cathrach, tharraing siad isteach ag eastát tithíochta. Thiomáin mise liom díreach agus chaill mé iad. Phill mé ansin agus thiomáin mé thart ar an eastát ach ní raibh mé ábalta an carr a fháil arís. Chuartaigh mé tamall fada sular tharraing mé isteach. Bhí mé socraithe síos arís. Smaointigh mé glaoch ar Jenny go bhfeicfinn cá fhad a rachadh sí leis an bhréag. Bhí a fón as. Smaointigh mé glaoch airsean. Fuair mé a uimhir. Ghlaoigh sé. D'éist mé. Chuala mé glór an mheaisín teachtair-eachta. Ní raibh a fhios agam ar cheart domh teachtaireacht a fhágáil. D'fhan mé, mé ag análú go trom: Ná bain thusa de mo bhean. Coinnigh ar shiúl uaithi, ní thuigeann tú í. Tá a fhios agamsa cé thú féin. Ansin chroch mé suas. Níl raibh a fhios agam caidé le déanamh. Bhí mé stoptha i lár eastát tithíochta coimhthíoch i lár na Gaillimhe. Caithfidh sé gur shuigh mé ansin leathuair ag meabhrú. Ní raibh ciall leis. Shocraigh mé pilleadh ar Bhaile Átha Cliath. Thiomáin mé liom agus sin an t-am a chonaic mé an carr, thug mé fá dear é páirceáilte ar chabhsa taobh amuigh de theach leathscoite. Tharraing mé isteach trasna an bhealaigh mhóir. Bhí na cuirtíní uilig druidte. Ní raibh bogadh fán teach. Shamhail mé iad thuas an staighre le chéile. D'fhan mé ansin tamall maith ag amharc anonn. Ghlac mé marc d'uimhir an tí agus uimhir a chairr. Bhí mé idir dhá chomhairle a ghabháil suas go dtí an doras ... ach loic mé.

Shuigh mé liom ag stánadh. Ansin, d'éirigh mé amach as an charr agus shiúil mé anonn. Shiúil mé suas go dtí an teach agus bhrúigh mé cnaipe an chloigín. D'fhan mé. Ansin bhuail mé ar an doras. Níor chuala mé bogadh ar bith, ansin, sa deireadh, chuala mé trup. Ach, níor tháinig duine ar bith go dtí an doras. Bhuail mé cnag eile agus d'fhan mé bomaite. Chas mé thart agus shiúil mé go stuama ar ais go dtí an carr agus thiomáin mé liom. Bhí mo chroí ag réabadh i mo chliabh. Is mór an gar dó féin nach dtáinig sé go dtí an doras.

Thiomáin mé díreach isteach go lár na cathrach agus pháirceáil mé an carr ar an tsráid. Shiúil mé go dtí an chéad teach leanna a casadh orm agus thoisigh mé a dh'ól.

Bhí trí nó ceithre dheoch agam sular mhothaigh mé aon mhaolú. De réir a chéile d'imigh an corraí. Ansin, d'éirigh mé nós cuma liom. D'ól mé ceann eile. Chuaigh mé síos fríd an bhaile ansin go dtáinig mé go Tigh Neachtain. Isteach liom agus shuigh mé thuas ag an bheár. D'iarr mé deoch. Nuair a bhí mé i mo shuí ansin cé a shiúil isteach ach Ursula. Ní thiocfadh liom é a chreidbheáil. Bhí sí ag casadh le cara. Bheannaigh muid dá chéile agus chuir mé suas deoch di. Shuigh sí liom.

D'fhiafraigh sí díom caidé mar a bhí an scéal agus scil mé leath an scéil léi. Níor inis mé di gur lean mé Jenny go Gaillimh, ná go raibh mé ag an teach. D'éist sí ar scor ar bith. Gan mhoill, tháinig a cara agus shuigh muid triúr ag caint. Roimh i bhfad, bhí am suipéara ann agus chuaigh mé leo go bialann le greim bídh a fháil. Choinnigh mé liom ag caitheamh siar. Bhí sin ina chuidiú.

I ndiaidh béile, chuaigh muid go teach leanna eile ar Shráid na Siopaí. Shuigh muid ag tábla sa chúinne ag caint. Shín Ursula a lámh chugam. Bhí piolla gorm ina bos. D'amharc sí orm le crostacht sna súile. D'amharc mé síos air tamall.

'Muna bhfuil sé uait...!' arsa sise á thógáil ar ais.

'Bhí sé chomh maith agam,' arsa mise. Chuir sí ina béal é agus d'aistrigh sí go dtí mo bhéalsa é. Shlog mé siar é. Ní raibh a dhath le cailleadh agam anois, a mheas mé. Bhí deoir thaghdach in Ursula a thaitin liom.

Roimh i bhfad bhí mo chroí ag rásaíocht agus ansin nigh sé tharam—mar bheadh an triúr againn faoi bhraillín síoda agus nach raibh sa tsaol ach muid. Bhí muid ag damhsa agus thoisigh an oíche ag preabadh.

Chuaigh muid go club oíche. Bhí an triúr againn ag damhsa. Bhí daoine eile ann chomh maith. Bhí mé féin is Ursula ag pógadh agus ag deochadh, agus gheall muid na spéartha dá chéile.

Tá mé ag siúl suas an bealach mór. Tá a fhios agam cá bhfuil mé ag iarraidh a dhul ach tá mé caillte. Tá sé mall san oíche. Tá cúpla carr ag sciorradh thart. Tá mé fuar. Tá sé dorcha ach tá solas ag bun na spéire. Tá sé galánta. Tá mé i ngrá agus tá fearg agus éad ag cur snaidhm i mo bholg. Mothaím dochloíte. Tá mé i ndiaidh Ursula a chailleadh, nó a fhágáil, b'fhéidir go raibh muid ag troid. Tá mé chomh lán le mothúcháin nach bhfuil mé ábalta ciall a dhéanamh d'aon rud. Cad chuige a bhfuil mé ag déanamh seo? Siúlaim go bhfaighim an bóthar isteach go dtí an t-eastát tithíochta agus déanaim mo bhealach go dtí an teach.

Sin mo chuimhne air; breac-chuimhne mar bhrionglóid. Sula dtáinig deireadh na hoíche, bhuail tallann mé. D'éirigh mé tochtmhar. Ní raibh mé ábalta stad ag smaointiú ar Jenny. Thoisigh mé ag argáil le hUrsula agus sa deireadh d'fhág mé í. Shiúil mé liom síos an bóthar. Ní raibh a fhios agam cá raibh mé ag gabháil. Shiúil mé agus shiúil mé, go dtí go dtáinig mé go Cnoc na Cathrach. Fuair mé an teach. Sheasaigh mé amuigh ar an tsráid ag amharc suas ar an tseomra leapa. Bhí solas lasta sa tseomra agus na cuirtíní druidte. Shamhail mé go raibh Jenny thuas ansin. Bhí an carr sa chabhsa. Bhí tomanna ag fás sa gharradh agus sheasaigh mé isteach ar chúl ceann de na tomanna. Níl a fhios agam cá fhad a bhí mé ansin ach a fhad agus a bhí, bhuail pian sa bholg mé. Mhothaigh mé mo phutógaí ag fáisceadh istigh i mo bholg. Mhothaigh mé go mbeadh orm mo ghnoithe a dhéanamh ansin díreach nó go muirfeadh an phian mé. Scaoil mé cnaipe mo bhríste agus síos ar mo ghogaide liom ar chúl an toim go gasta le faoiseamh a fháil. Bhí mé ag cur mallachta ar Ursula. Díreach ansin, las an solas taobh amuigh den teach. Las sé suas an garradh uilig. An chéad rud eile, bhí cloigeann ag amharc amach an fhuinneog thuas staighre. D'amharc sé anuas orm díreach. Lasadh soilse an tí istigh agus tháinig an fear amach an doras tosaigh. D'aithin mé é. Cheangail mé mo bheilt. Tháinig an fear aníos chugam agus cuma chonfach air.

'Caidé atá tú a dhéanamh?' arsa seisean.

Ní raibh mé ag bráth sotal ar bith a thabhairt dó.

'Tusa…,' arsa mise leis, 'Tusa an fear atá ag gabháil do mo

114

bheansa. Cuirfidh mé comhairle ort: Má tá ciall agat, bainfidh tú na bonnaí as ar shiúl uaithi. Beidh tú buíoch gur inis mé sin duit. An gcluin tú mé? Buíoch a bheas tú!'

'Scrios ortsa,' arsa seisean. 'Sín leat as m'amharc, sula gcuirim fá choinne na nGardaí.'

Bhrúigh sé mé agus thit mé siar. Thug sé a sháith le déanamh domh fanacht ar mo chosa.

'Fág anois í, nuair a thig leat go fóill,' a dúirt mé leis. 'Dhéanfaidh sí an rud céanna leatsa.'

'Bhí cúis mhaith aici tú a fhágáil, a mhulpaire gan úsáid,' a dúirt sé.

'Há! Níor fhág sí mé, a amadáin,' a dúirt mise leis. 'Níor fhág sí mé!' agus chas mé agus d'imigh mé liom síos an tsráid ag tarraingt ar shoilse an bhaile mhóir. Chodlaigh mé sa charr an oíche sin agus lá arna mhárach thiomáin mé ar ais go Baile Átha Cliath.

Tá mé ag fanacht anois léi a theacht thart go dtí an teach. Tá a cuid rudaí curtha i málaí agam sa halla. Bhí sí féin agus Louise le hiad a phiocadh suas tráthnóna. D'fhéad mé fios a bheith agam gur seo an deireadh a bheadh air.

Circceoil ↿HⲔⲔⲤ←

Chuala sé an ghaoth ag séideadh amuigh agus ar a dhroim mhothaigh sé anáil éadrom Ruth. Bhí an lá geal anois ach choinnigh sé a shúile druidte go fóill le fad a bhaint as a dhúiseacht. Ba é trup scláta ag díoscarnaigh ar an díon a thug air éirí sa deireadh. Bhí an teach rite leis an ghaoth aniar agus shéid sí isteach faoin díon le port a bhaint as an aon scláta scaoilte ar an díon.

Chuir sé síos an citeal agus chuaigh amach an doras cúil leis na cearca a ligint amach as cró na gcearc ag bun an gharraidh. Shiúil siad amach ceann ar cheann go triallach ag piocadh agus ag scríobadh rompu. D'amharc Darren suas ar dhíon an tí. Bheadh air dréimire a fháil, smaointigh sé.

Mheil sé crág síolta caife agus thug cupa caife suas chuig Ruth. Shuigh sí aníos sa leaba. Bhí cuma úrdhéanta ar a craiceann i ndiaidh muscladh di agus a gruaig in aimhréitigh.

'Rómhaith atá tú,' a deir sí ag tógáil an chupa idir a dá lámh agus aoibh uirthi. 'An bhfuil a fhios agat cén lá inniu?'

'Dé Sathairn.'

'Ní hé. Tá muid bliain iomlán sa teach,' arsa sise.

'Agus tá muid beo linn....'

'Níl an lá thart go fóill! Thug mé cuireadh d'Éilís agus

Robert aréir a theacht fá choinne dinnéara ... bhí muid leis sin a dhéanamh le fada.'

Bhí Ruth ina suí ag a ríomhaire ag teacht isteach do Darren leis an tua. Bhí faobhar curtha aige uirthi agus rith sé a ordóg thar cheann na tua. 'Tá mé réidh,' a dúirt sé. Thóg sé an tobán ón phrios faoin doirteal.

D'éirigh sise agus lean sí amach é. Chuaigh siad thart go cró na gcearc agus d'fhoscail Darren an geafta. Scaip an éanlaith.

'Diúc, diúc, diúc!' a deir Ruth, ag iarraidh cearc a thabhairt isteach idir na lámha.

Shín an tóir le Ruth agus Darren ag gabháil thart lena dhá lámh amuigh rompu. Sa deireadh bheir seisean ar an chearc a dtug siad Peigí Sú uirthi. Ba í ba raimhre agus b'fholláine agus bhí sí pioctha aige amach as a measc.

'Foscail an geafta.' Bhí a dhá lámh anuas thar an dá eiteog agus mhothaigh sé an corp beag te ag streachailt faoin chluimhreach. Ag dingeadh amach an gheafta dó, d'éirigh an chearc le rúchladh as a lámha agus d'fhiach sí a ghabháil ar eiteoga san aer. Lean an péire í trasna an gharraidh. Chuaigh an chearc isteach faoi thom agus nuair a chur Darren fuisc amach uirthi bhí Ruth ansin le breith uirthi arís.

'Tabhair leat anall go dtí an altóir í,' arsa Darren.

Bhí stoc crainn leagtha amach ag Darren leis an chearc a mharú uirthi.

'Cha dtig leat é a dhéanamh anseo,' arsa Ruth. 'Tchífidh na cearca eile é. Tabhair thart isteach chun an gharáiste an rud sin.'

D'iompair Darren an stumpa crainn thart tóin an tí.

'Beidh fuil thart ar an gharáiste uilig,' a dúirt sé. 'Déanfaidh seo gnoithe.'

Chaith sé an stumpa ag doras an gharáiste.

Bhí Ruth ina seasamh leis an chearc faoina hascaill agus í ag slíocadh a muineáil. 'Diúcaí maith!' a dúirt sí leis an chearc. 'Tá an círín uirthi chomh dearg le rud ar bith dá bhfaca tú ariamh, sin dea-chomhartha....'

'Sín anall an chearc,' a dúirt Darren.

Thug Ruth an chearc dó agus bheir Darren greim coise uirthi agus chuir sé an chearc bunoscionn.

'Ná déan sin, cuireann sé strus orthu!'

Thug an chearc sracadh beag agus d'éirigh sí socair.

''Bhfuil giota de chorda ina luí thart?' a dúirt Darren.

'Cad chuige?'

'Fá choinne í a chrochadh.'

D'amharc Ruth air.

'Í a chrochadh bunoscionn nuair a bhainim a cloigeann di,' ar sé.

D'imigh sí isteach chun tí a fháil corda.

Cheangail siad an dá chos agus chuir siad lúb ar cheann an chorda.

Lig Darren síos an chearc lena muineál thar stoc an chrainn ach bhí sé deacair aige í a choinneáil socair.

'Tchímse an tua,' arsa seisean.

Thug sí dó an tua. 'Scian a d'úsáideadh mo mháthair mhór. Chasfadh sí an muineál mar seo, ansin ghearrfadh sí le scian é leis an fhuil a ligint. Fan agus gheobhaidh mé scian...'

D'imigh sí isteach arís chun tí.

'Cá bhfuil tú ag gabháil?' a scairt Darren. Sheasaigh sé ansin leis an tua i lámh amháin agus an chearc sa lámh eile aige. Bhí an chearc ag éirí trom. Buile amháin agus bheadh sé thart, smaointigh sé, ansin beidh sí le cluimhriú agus le glanadh.

Bhí an chearc ag déanamh trup truacánta, gliogarnach íseal cosúil le tachtadh. D'fhág sé uaidh an tua agus thóg sé an chearc faoina ascaill. Thoisigh an chearc ag lúbarnaigh ach choinnigh sé greim daingean uirthi go dtáinig Ruth amach le scian mhór.

'Caithfidh tú an muineál a chasadh go mbrisfidh sé, ansin é a lúbadh thar an scian agus an scian a tharraingt aníos mar sin leis an chloigeann a bhaint di.'

''Bhfuil tú cinnte?'

'Tá.'

''Bhfaca tú déanta é?'

'Mhothaigh mé mo mháthair mhór ag caint air.'

Bhí an chearc faoina ascaill aige go fóill.

'Do mháthair mhór ... déan thusa é mar sin.'

Thug sé an chearc do Ruth agus bhí uirthi í a thógáil faoina hascaill. Rinne an chearc scolargnaigh cosúil le cearc ghoir.

Chuir Ruth a lámh ar mhuineál na circe agus d'amharc an chearc suas uirthi le súil fhiáin amháin go cearthaíoch.

'Ise is fearr ag breith, bíodh a fhios agat, amach as an iomlán,' arsa Ruth.

'Déanfaidh sí gnoithe maith don phota mar sin.'

'Ná habair sin,' arsa Ruth. 'I ndiaidh chomh maith is a bhí sí dúinn i rith an gheimhridh.'

'Cha dtig a ghabháil ar a thóin ann anois.'

'Níl an croí agam, a Darren. Peigí Sú bhocht. Í is fearr uilig. B'fhéidir gur cheart ceann de na rudaí scrábacha sin eile a thógáil ina háit.'

'Tabhair domh.'

Thug sí an chearc do Darren.

'Tá obair bhocht á gcluimhriú,' arsa sise.

Bheir Darren ar chosa na circe agus leag sé síos ar an stoc í. Lena lámh dheas thóg sé an tua.

Bhí Ruth ina seasamh ar chúl Darren agus greim aici ar a scoróg. 'Ní thig liom amharc,' ar sise.

'Caidé an dóigh a dtig liom a dhath a dhéanamh leatsa...?'

'B'fhéidir gurbh fhearr é a fhágáil.'

Lig Darren anuas an tua ar mhuineál na circe. Níor tháinig an ceann di glan agus b'éigean dó an dara buille a thabhairt agus an tríú ceann. Thit an cloigeann ar an urlár le sruth ramhar fola. D'éirigh Ruth ciúin agus rith sí isteach chun tí.

Nuair a tháinig Éilís agus Robert go dtí an doras cúil, bhí croí agus scamhóga na circe ina luí ag triomú faoin ghrian sa doirteal Bhéal Feirsteach taobh amuigh den teach. Bhí clúmh éadrom ag séideadh sa ghaoth ag an doras.

''Sé bhur mbeatha!' arsa Ruth. 'Galánta sibh a fheiceáil!' Thug sí barróg d'Éilís. Thug sí póg do Robert agus thóg sí an buidéal fíona uaidh. 'Iontach deas. Anois, caidé a bheas agaibh?'

Thriomaigh Darren a chuid lámh ina naprún agus thug croí isteach don bheirt chuairteoirí.

'Bheadh gloine fíona go deas,' arsa Éilís.

'Beidh gloine uisce beatha agam féin,' arsa Robert. Thóg sé naigín ó phóca a chóta. 'An mbeidh ceann beag agat?' arsa seisean le Darren.

'Bhí sé chomh maith agam. Tá sé tuilte agam.'

'Mise fosta. Focain bainisteoirí. Ar léigh tú an leabhar sin a thug mé duit, *The Crying of Lot...*? Caithfidh tú é a léamh, iontach géar ... iontach ... siombail, a Darren, tá sé lán siombal ... bheadh dúil mhór agat ann. An é sin ceann de do chuid cearc féin a mharaigh tú?'

'Bhó, sin go leor!' arsa Darren ag amharc air ag doirteadh amach an uisce beatha.

'Seo, caith siar é!' Thóg Robert a ghloine. D'ól siad beirt slogóg mhaith.

'Bhí sí rud beag mall ag gabháil isteach,' arsa Ruth. 'Tá súil agam nach bhfuil barraíocht ocrais oraibh.'

'Tá an chéad chúrsa réidh,' arsa Darren, 'ach fanfaidh muid go dtiocfaidh an chuid eile.'

'Chas mé le Clíodhna sa tsiopa agus dúirt sí go dtiocfadh sí,' arsa Ruth. 'Agus tá Mark agus Fiona ag teacht fosta. Ba chóir go mbeadh siad anseo faoi seo.'

Dhoirt Ruth an dá ghloine dheireanacha fíona ón bhuidéal a bhí ar an tábla. D'ól siad uilig sláinte.

Ní raibh sé i bhfad go dtáinig Clíodhna go dtí an doras agus dhá mhála á n-iompar léi.

'Den chéad uair le mí,' arsa sise, 'shocraigh mé gan ceann a chur le chéile nuair a tháinig mé isteach ón obair agus chuaigh mé síos go dtí an siopa agus nach ádhúil go dteachaidh nó ní bheinn anseo anois, an mbeadh? Ach, seo mé! Buartha má tá mé mall!'

Bhí cúpla buidéal fíona léi agus bronntanais don teach: 'Cúpla rud beag a rinne mé.'

'A Chlíodhna, ní raibh fiachadh ar bith ort!'

'Tá a fhios agam, ach … tá mé cineál ag gabháil fríd thréimhse chruthaitheach le cúpla lá.'

Fán am a dtáinig Mark agus Fiona, bhí an chéad chúrsa ite agus an chearc amuigh réidh le gearradh. Fosclaíodh cúpla buidéal eile fíona agus casadh suas an ceol.

Scrúdaigh Ruth an chearc. 'Tá cuma cheart go leor uirthi….'

'Nach bhfuil muid á ramhrú le sé mhí?'

'Ní raibh sí deacair í a chluimhriú, creidim…' a dúirt Mark.

'Thom mé in uisce galach í ar tús. Chuir mé an tóirse uirthi ansin leis na goba deireanacha a bhaint di. Peigí bhocht.'

'A Darren!'

'Caidé?'

D'amharc Ruth go míshásta air. 'Caithfidh muid í a ithe!'

'Tá a fhios agam,' arsa Darren. 'Gearrfaidh mé suas í.'

Thóg sé an scian mhór agus thóg air an cúram go foirmiúil.

'Níl sí millteanach mór,' arsa Ruth. 'Sin go leor domhsa, go raibh maith agat!'

'Ní bheidh a dhath agamsa, go raibh maith agat,' arsa Clíodhna.

'Cinnte?' arsa Darren. 'Is feoilséantóir mé na laethe seo.'

'Tá beirt agaibh ann mar sin,' ar seisean ag caitheamh a shúl ar Ruth. 'A Éilís, cos nó brollach?'

'Brollach, le do thoil!'

'Ní bheinn ábalta é a dhéanamh ... beatha a mhúchadh mar sin,' arsa Robert.

'Rófhurast a bhí sé sa deireadh,' arsa Darren. 'Níl mórán idir muid agus an bás. Bhí mé ag dréim léi rith thart i gciorcal, ach luigh sí ansin ag preabadh.'

'An dtig libh labhairt faoi rud inteacht eile?'

'Níl tusa ag ithe feola.'

'Tá siad ag iarraidh páirc do charbháin a thógáil thíos anseo,' arsa Ruth.

'Cé atá?'

'Tá seo galánta,' arsa Éilís.

'Tá sí rud beag righin,' arsa Ruth, 'ach bíonn cearca baile righin.'

'Dálta go leor,' arsa Darren. Rinne sé draothadh tirim gáire agus d'ól bolgam fíona.

'Tá tú ólta,' a dúirt Ruth leis go híseal.

'Cad chuige nach mbeinn?'

'Ná bí leath chomh niogóideach!' ar sise.

'Sin an focal is ansa leat!'

Tháinig faobhar ar a súile.

'Níl mé ach ag magadh, a thaisce,' arsa seisean ag déanamh gáire.

'Níl mise!'

Níos moille, sa gharradh, ag clapsholas, thóg Darren amach a bhocsa beag féir. Shúigh sé féin agus Robert ag an bhinse adhmaid. Bhí Robert ag rámhaillí leis fán ghealach. D'amharc Darren isteach fríd an doras gloine ar Éilís ag damhsa. Bhí sí saor ina corp agus ní raibh aird aici ar dhuine ar bith.

'Thomas Pynchon,' a dúirt Robert. 'Thiocfadh leis nach raibh a leithéid de dhuine ann ar chor ar bith. Caithfidh tú é a léamh.'

'Tá cuimhne agam nuair a bhí mé beag, bhí mé ar cuairt ag mo chol ceathar. Bhí feirm acu agus cúpla madadh. Bheadh coileáin ag an mhadadh anois is arís. Thug sé leis mise lá amháin, ní raibh mé ach tuairim is deich mbliana d'aois. Bhí na coileáin istigh i mála garbh aige. Bhí bairille uisce ar chúl an bhóithigh agus bhí sé ag iarraidh ormsa an mála a choinneáil thíos faoin uisce go stopadh an sceamhlaigh. Ní choinneoinn síos iad. "Caithfidh tú é a dhéanamh nó inseoidh mé ort," a dúirt sé, ach ní dhéanfainnse é. Ní ligfeadh mo nádúr domh. Tharraing sé féin suas na muinchillí sa deireadh.'

'Cad chuige nár chuir sibh cloch ina mullach?'

D'amharc Darren air. Ón lá sin, níor smaointigh sé ariamh ar an réiteach sin.

'Níl a fhios agam,' ar seisean. 'An trup a bhí astu ag sceamhlaigh sa mhála, cha ndéanaim dearmad de.'

'D'fhéad sibh cloch a chur ina mullach.'

Mall san oíche bhí Darren agus Éilís sa chistin. Sháigh sé a dhá shúil inti agus iad ag caint. Mhothaigh sé boladh éadrom a colainne, agus boladh domhain mar shiúcra dóite. Bhí a sciatháin ris agus ribín éadrom gualainne ag coinneáil suas a veiste. Bhí loinnir sna súile aici. Bhí an bheirt acu ar meisce agus ag caint go háibhéalach. 'Chuaigh muid ag snámh,' arsa sise, 'san fharraige … ach lig Maureen den bhuidéal rum titim as a lámha agus bhí orainn tumadh síos lena fháil. Bhí sé dorcha.'

'Bhabh, ní raibh ciall ar bith agaibh!'

Mall san oíche, bhí sé ag teacht amach as an leithreas thuas staighre nuair a chas sé le hÉilís ag barr an staighre agus tharla sé ar an toirt. Sa bhomaite bhí siad i bhfostú ina chéile. Chúlaigh siad isteach sa tseomra leapa. Phóg seisean í go díbhirceach agus más mó a bhrúigh sé isteach inti más mó a mhothaigh sé na hAingle ag eitilt amach aisti agus isteach ina chorp. Phóg sí ar ais é le díogras a mhothaigh sé a bheith cúitithe go hiomlán, a lámha ag cuartú a cholainne.

Meán lae lá arna mhárach chorraigh Darren sa leaba. Mhothaigh sé an bhroidearnach ina cheann sular fhoscail sé a shúile. De réir a chéile a thug sé fá dear cá raibh sé. Bhí sé ina luí ar imeall na leapa. Bhí Robert ina luí spréite ag a thaobh. Chuaigh sé síos staighre agus chuir sé air an citeal. Bhí na cannaí agus buidéil scaipthe thart fán chistin agus an doras cúil ar fhoscailt. Bhí ainmhí inteacht i ndiaidh a theacht i lár na hoíche agus an meanach a bhí sa doirteal a ithe. Thóg sé an píobán uisce agus nigh síos an fhuil a bhí calctha isteach sa doirteal gheal. Rith sé an t-uisce gur rith sé glan síos bac an doirtil, ansin chuaigh sé thart leis na cearca a ligint amach.

Dóigheanna le Feiceáil

Is duine míshocair mé. Tig cearthaí orm go minic. Deir an dochtúir go bhfuil m'intinn scaipthe, ach níl mé as mo mheabhair. Déanann na dochtúirí anailís ar gach rud, ag glacadh nótaí agus ag ticeáil bocsaí agus ansin tagann siad aníos le scéal néata, bunaithe ar a gclaonta féin. Níl aithne acu orm. Iadsan atá as a meabhair.

Ní chodlaím ach beagán. Nuair a ghním, bím ag brionglóidí — cuireann siad ceist orm caidé a bhím ag brionglóidigh air agus feicim an néal ag teacht thar na súile acu nuair a thoisím.

Bíonn mo shúil dheas ag caochadh, anois is arís, gan smacht agam air, agus cuireann sé sin as do dhaoine. Má dhéanaim iarracht é a stad, níos measa a éiríonn sé. Druidim í mar sin, go ndearcaim amach ar an tsaol le súil amháin. Cuirim suas mo lámh agus dearcaim amach idir na méara. Cuireann an solas a gháire mé. Tá sé níos fusa féachaint ar an tsaol le súil amháin.

Cuireann rudaí áirithe gliondar orm, macasamhail dathanna. Tagann lúcháir orm os comhair meascán áirithe dathanna. Bhí an saol ariamh daite. Ar scoil thabharfadh siad bloic dhaite domh agus bhí dúil agam iontu sin. Bhí dúil agam sna dathanna. Ba leor amharc ar na dathanna. Shuífinn ar feadh i bhfad ag amharc ar bhloc daite amháin. Rinne sin cúis. Am ar bith a fheicim na dathanna céanna plaisteacha sin anois tig áthas orm; tá sé ar nós cigilte a thig ó mo phutógaí agus a ritheann amach go barr na méar mar leictreachas. Tá corr-rud a bhíonn rógheal, teilifís mar shampla, bíonn sé ródhaite agus cuireann sin mearadh orm. Bíonn barraíocht gluaiseachta, leis an phictiúr ag bogadh an t-am ar fad; ní fhanann sé choíche socair cosúil liomsa. Ní rachainn chuig na pictiúirí.

Déanaim iarracht gan a bheith ag smaointiú. Ní maith liom a bheith ag smaointiú, ach tagann smaointe chugam ar aon nós cé nach ndéanann siad i gcónaí ciall. Nuair a bhí mé beag, bhí cara agam darbh ainm Risteard agus thug seisean isteach ina sheomra mé agus thaispeáin sé a bhailiúchán féileacán domh. Níor thaispeáin.

Gasúr breá a bhí ann Risteard, bhí sé foighdeach agus gnáthdhuine a bhí ann, ach is minic a bhíodh sé searbh agus nimhneach. Thaispeáin sé rud inteacht domh.

Ní gnáthpháiste a bhí ionam. Róchliste, a dúirt siad. Smaointigh mé ariamh ar an difear a bhí eadrainn, mé féin agus Risteard, agus ar an dóigh a dteachaidh muid ár mbealach féin. Níl a fhios agam cá bhfuil sé anois, ach bhí am ann nach dtiocfaí muid a scaradh. Rinne muid achan rud le chéile. Ar bhealach, aingeal a bhí ann cur suas liom. Scoláire maith a bhí ann agus bhí mise trioblóideach. Oíche amháin, chodlaigh muid i bpuball taobh amuigh dá theach. Bhí seisean dáiríre faoin fhiontar. Shíl mise go raibh sé greannmhar. Ní thiocfadh liom stad a gháire. Tá duine inteacht ag teacht, a dúirt mé, cé nach raibh duine ar bith ann. Níl duine ar bith ann, a dúirt sé. Tá duine ag teacht le muid a mharú, an gcluin tú? Níl. Eagla atá ort, a dúirt sé le mé a chur i mo thost. Níl eagla orm, a dúirt mé, is cuma liom má thig siad. Sa deireadh thit muid inár gcodladh. Níor thuig mé riamh cén fáth a raibh daoine i gcónaí ag dréim leis an fhírinne.

Bhí gach rud a rinne Risteard mar pháirt dá phlean mór. Feicim anois é i bpuball ard sna cnoic i ndiaidh lá fada dreapadóireachta. Le meáchan na ndifríochtaí a bhí eadrainn a scar muid ag an am. Cé gur iompair seisean go furast iad chonaic mise i gcónaí iad mar ualach.

Chónaigh siadsan i dteach deas agus shantaigh mé an boladh a bhí sa teach. Buaileann an boladh mé anois is arís, i mo sheasamh faoi chrann a bhíonn ag sileadh súlaigh nó ag siúl thar dhoras tí a mbíonn an ghaoth ag séideadh amach tríd. Bhí an boladh milis céanna sa teach acu i gcónaí agus cheangail mé an boladh sin lena mháthair. Ní bhfuair mé amach ariamh cén boladh é ach sílim gur boladh craicinn a mháthara a bhí ann. Bhí a mháthair deas agus mín agus súile donna aici. Sa gharáiste bhí boladh feola lofa a athara, nó ba ghnách leis seilg.

Lá amháin, i dteach an phobail, bhí mé i mo shuí sa ghailearaí ag amharc síos ar theaghlach Risteaird ina suí taobh le taobh. Bhí éad orm. Stán mé ar chúl cinn a n-athar go crua ag cur teachtaireachtaí intinne chuige, ag rá leis casadh thart, agus i ndiaidh tamall fada ag stánadh air, nuair a bhí an pobal ina seasamh, chas sé thart agus d'amharc sé díreach suas idir an dá shúil orm. Scanraigh mé mé féin an uair sin. Ach rinne sé ciall. Chonaic mé athair Risteaird ag déanamh rudaí nár thuig mé. D'fholmhaigh sé an bád ar chúl an tí le píopa uisce. Chonaic mé an t-uisce ag éirí san fheadán thrédhearcach. Chuirfeadh sé snaidhm ar rópa nach dtiocfaí a scaoileadh ach le sracadh amháin uaidhsean thitfeadh an tsnaidhm as a chéile. Agus bhí cumhachtaí agamsa nach dtiocfaí a mhíniú rófhurast ach oiread. Oíche amháin agus mé ag fáil bainne ón chuisneoir, nuair a leag mé mo lámh ar mhurlán dhoras an chuisneora, chuaigh na soilse go léir sa teach as. Nuair a thóg mé mo lámh ón mhurlán, las siad arís. Níor inis mé do dhuine ar bith gur mise ba chiontaí. Am eile, nuair a bhí mé sa cheaintín ag fáil mo dhinnéara, chomh luath agus a chuir mé an forc i mo bhéal, ghreamaigh sé do m'fhiacail mar mhaighnéad. Ní raibh mé ábalta é a bhogadh, ansin d'éirigh na soilse sa tseomra iontach geal agus bhris bolgán. Tarlaíonn rudaí mar sin domh.

Ach tháinig deireadh lenár gcairdeas sa deireadh. Tharla rud inteacht a d'athraigh muid. Ar chúl an tí bhí garradh agus ar chúl an gharraidh bhí bairille mór na hola. Chaith muid laetha fada samhraidh ag dreapadh an bhairille agus ag suí ar a bharr. Ansin léimfeadh muid anuas san fhéar fhada isteach sna feaghacha le maidí móra mar a dhéanfá de léim chuaille. D'amharcfainn anonn go gcinnteoinn go raibh a mháthair ag amharc amach fuinneog na cistine sula léimfinn. Bhí iontas orainn féin go mbeadh muid san aer chomh fada — ar nós go raibh muid ag snámh san aer — agus dhreapfadh muid suas ar an bhairille arís go gasta. Lá amháin, d'éirigh muid tuirseach de seo agus shiúil muid linn fríd na feaghacha thar an talamh sheascannach fhliuch ag gabháil ó thúrtóg go túrtóg. Sa deireadh, fuair muid go dtí an taobh thall den pháirc. Dhreap muid an claí agus shiúil muid i dtreo an tseantí a bhí amach romhainn. Sula dtáinig muid a fhad leis an doras tháinig beirt ghasúr amach as an teach. D'aithin mé iad, bhí siad níos sine ná muid. D'amharc siad ar Risteard agus rinne siad gáire. Cad chuige a bhfuil tú ag súgradh leisean? a dúirt siad. Níl mé, a dúirt sé. Chas sé agus dúirt sé liom: Imigh leat! Chas mise agus rith mé. Rith mé síos an bealach mór agus isteach i dtigh Risteaird le mo chóta a fháil. Bhí máthair Risteaird ina suí ag léamh agus a dheirfiúr ina suí ag a taobh ag fíodóireacht taipéis ildathach. Bhí a fhios agam ag an bhomaite sin go raibh mé i ngrá lena dheirfiúr agus mhothaigh mé go raibh mo chroí ag dul a phléascadh. Thóg sí a ceann agus rinne sí meangadh. Cá raibh sibh? arsa a máthair. Áit ar bith, a dúirt mise. Agus Risteard? D'amharc sí síos ar mo bhróga a bhí donn le ruamheirg agus lábán. Tá do bhróga millte, beidh do mháthair ar mire. Agus m'urlár — bain díot iad anois láithreach! Ní fhéadfainn iad a bhaint díom. Bheadh sé doshamhlaithe os comhair dheirfiúr Risteaird. Chroch an t-ordú tharam mar chlaíomh agus thit mé ar an urlár agus lig mé orm féin go raibh mé i laige. Is cuimhin liom a bheith ag amharc suas ar dheirfiúr Risteaird agus meangadh aisteach a fheiceáil ar a haghaidh. Bhí a haghaidh casta agus dóighiúil ag an am chéanna. Níor mhair sé i bhfad. Tugadh gloine uisce domh agus d'iarr mé deoch bhog ón chuisneoir nó bhí a fhios agam go raibh deochanna milse ansin i gcónaí. Níor luadh na bróga arís. Chuaigh mé 'na bhaile ar mo rothar agus an oíche sin bhí mé ag brionglóidigh ar phéisteanna capaill.

Sheachain mé teach Risteaird ar feadh tamaill. Ina áit sin, léigh mé leabhair agus thug mé fá dear go raibh Risteard díreach cosúil leis na páistí a bhí sna leabhair. Bhí dúil aige sna rudaí céanna. Bhí a dheirfiúr cosúil leis na cailíní sna leabhair agus chuir seo buaireamh orm. Bhí siad chóir a bheith foirfe i ngach dóigh.

Gan mhoill ina ndiaidh sin d'éirigh Risteard tinn. Tugadh chun tí mé.

Bhí sé ina luí ina leaba faoi na réalta tineghealánacha ar an bhalla agus póstaer den ghealach ar an tsíleáil agus d'amharc sé orm go sásta. D'éirigh sé aníos sa leaba agus gan mhoill bhí sé ag súgradh mar dhuine nach raibh aon rud contráilte leis. An oíche sin, luigh mé ar mo leaba leis na cuirtíní foscailte ag amharc amach ar an spéir réaltógach agus smaointigh mé ar mhórán rudaí. Amanna bíonn ár gcuid súl foscailte agus ní fheiceann muid aon rud. Sheasaigh mé os comhair scátháin agus chonaic mé neamhní. Scairt mé agus níor tháinig aon ghuth. Cé go mbíonn an doras leathfhoscailte ní fheictear isteach. Cé go mbíonn an rud romhainn, ní áirítear é. Má fhosclaítear doras, caithfear siúl fríd, nach gcaithfear? Má bhíonn cathaoir ann, caithfear suí. Tá an dorchadas i gcónaí romhainn, a smaointigh mé. Ansin thit mé i mo chodladh.

Bhisigh Risteard agus d'éirigh sé níos dáiríre agus níos céillí. Stad mé ag tarraingt air agus leathnaigh an bhearna a bhí eadrainn. Roimhe sin dúirt mé leis gurbh é mo dheartháir é. Ghearr muid ár n-ordóga le scian bheag agus rinne muid ceangal na fola eadrainn. Cuartaím an fhírinne agus an t-eolas mar gheall airsean. Bhí sé staidéartha, fiosrach agus géar-shúileach. Rinne sé gach rud ceart. Chaill mise an bealach. D'fhág an teaghlach an ceantar gan mhoill ina dhiaidh sin. Bhí sé blianta ina dhiaidh sin sular thuig mé cén fáth. Agus a dheirfiúr, ag Dia atá a fhios cá bhfuil sí. Is cuimhin liom lá amháin, nuair a bhí mé ag siúl suas go dtí an t-áiléar ar an dréimire ina diaidh go dtug mé póg di sa droim i ngan fhios d'éinne. Póg bhog a bhí ann nár mhair ach soicind. Ba é sin an t-aon uair a phóg mé cailín.

Bhí ceamara ag Risteard, Pentax K1000, agus bhí gloiní déshúileacha aige. Bhí micreascóp aige agus teileascóp. Ba ghnách leis amharc suas ar na réaltóga leis an teileascóp. Bhí eagla ormsa amharc isteach ann róghéar. Is gléasanna iad sin a chuidíonn leat feiceáil níos fearr. Rinne siad míshuaimhneach mé.

Feictear siar le grianghraif. Ach ní bhíonn iontu ach

bréaga. Chonaic mise rudaí nach bhfuil i ngrianghraif. Anois, nuair a thagann an ghealach lán trasna na fuinneoige gach uile chúpla mí agus mé ag dearcadh suas ó mo leaba, amharcaim amach le mo shúil chlé agus mothaím na cuimhní go léir. Sílim gur cloch mé agus go bhfuil mé sioctha in am, go bhfuil am istigh ionam agus go bhfuil mé ag iompar mothúcháin an tsaoil. Ag amharc suas domh ar na réaltóga sin aréir, shamhail mé rud inteacht. Shamhail mé gur shábháil Risteard mé ón dá bhuachaill an lá sin, agus líon mo chroí le brón. Níl a fhios agam cad chuige a raibh mé brónach. Ach amanna bím ag iarraidh mo shaol a chaitheamh arís is arís go deo agus an mhéid atá a fhios agam anois a chur ina cheart.

Crios na Cruinne

Mhuscail Muireann maidin amháin leis an fhocal Eacuadór ar bharr a goib aici. Ba bhrionglóid a bhí aici an mhaidin sin agus nuair a d'éirigh sí bhí an focal ag gabháil thart ina ceann. Ag an obair, os comhair ríomhaire, rinne sí taighde air agus an oíche sin d'fhógair sí dona fear, Jim, go raibh sí ag gabháil ar thuras go Meiriceá Theas.

Níor thrácht sí air arís go ceann cúpla seachtain, nuair a bhí rudaí fiosraithe i gceart aici: 'Thig liom trí seachtaine a ghlacadh saor i dtús mhí Mheán Fómhair agus tá cúrsa Spáinnise ag toiseacht ar an Luan dár gcionn i scoil Spáinnise thíos i mbaile darbh ainm Baños.'

'Tá a fhios agat go bhfuil mé gaibhte leis an obair go dtí an Nollaig,' arsa seisean.

'Tá a fhios agam. Tá mé ag dul liom féin.'

Thóg sé a chloigeann óna fón: 'Cad chuige a rachfá leat féin? Anois, go speisialta?'

'B'fhéidir nach bhfaighinn an seans arís.'

Thuig Muireann nach gcreidfeadh sé í go raibh sí ar shiúl.

Maidin liath fhómhair i gceann ceithre seachtaine, d'fhág Jim ag an aerfort í: 'Dhéanfaidh sé maith duit,' a dúirt sé. 'Bí cúramach.'

Phóg siad agus d'imigh sí fríd an gheafta slándála. Ba é

seo an chéad uair a dtearn sí rud mar sin agus chomh luath is a shocraigh sí síos san eitleán léi féin, mhothaigh sí braon beag faitís. D'amharc sí amach an fhuinneog ar Bhaile Átha Cliath ag síoltú uaithi sna scamaill gan fios aici caidé a bhí roimpi. D'fhoscail sí a leabhar úr agus thoisigh á léamh go dúilmhear.

Dhá lá ina dhiaidh sin bhí Muireann ina suí ag tábla os comhair a múinteora Spáinnise, Carlitos. Bhí lóistín faighte aici i mbaile Baños agus í socraithe isteach. D'éist sí le guth Carlitos. Bhí dúil aici ina chanúint bhog agus an ceol a bhí ina ghuth agus é ag damhsa thar na focail. Bhí canúint ghreannmhar Béarla aige ach ina theanga féin labhair sé go mín, ag fuaimniú gach focal go cruinn: 'El verbo "querer" — to want. Yo quiero: I want. Tú quieres: you want. Él quiere....' D'éist sí le fuaimeanna na dteangacha, iad lán de ghrian agus de dhathanna teo, dar léi, agus rinne siad gliogarnach úr ina ceann. Ó tháinig sí chun na tíre, bhí sí ag siúl thart mar bheadh an ceo bainte dá súile agus an ghrian ag coscairt a croí go húr.

Shuigh Carlitos anonn uaithi ag an tábla amuigh sa chlós agus é ag scríobh bunoscionn isteach ina cóipleabhar, ionas go mbeadh sí ábalta na focail a léamh de réir mar a bhí seisean ag scríobh.

'Tá scríobh deas agat, fiú bunoscionn,' arsa sise.

'Níl ann ach cleas. Is maith liom a bheith ábalta amharc sna súile ar mo chuid scoláirí,' a dúirt seisean ag amharc uirthi.

Bhí súile boga aige. Ní raibh sé ach cúpla bliain níos sine ná í. Labhair sé faoina bhean chéile thall is abhus agus ó am go ham, thráchtfadh sí féin ar Jim agus na rudaí a déarfadh sé. Mhothaigh an rud uilig cineál coimhthíoch di.

Baile turasóireachta é Baños, suite i lár gleanna, le ballaí glasa an ghleanna díreach suas ar gach taobh. Bhí na taobhanna chomh crochta agus go sílfeá gur díreach os do chionn a bhí an chros mhór a bhí ar bharr an chnoic is airde sa ghleann. San oíche, sheasadh an chros lasta amach in éadan na spéire. Shamhail Muireann ariamh go raibh áiteacha chomh draíochtach seo sa tsaol ach níor shamhail sí go bhfaigheadh sí chomh fada leo. Bhí an baile leagtha amach ina chearnóga beaga, le tithe Spáinneacha mar bhréagáin ar gach taobh. Léigh sí sa leabhar taistil gur baile spá a bhí ann agus go raibh folcadáin nádúrtha scaipthe ar fud an bhaile. Leis na spánna tháinig go leor sciamhlann agus seomraí suathaireachta agus leo sin tháinig turasóirí de gach cineál; fir agus mná as thart fríd an domhan; Meiriceánaigh, Eorpaigh agus Áisigh, meascán daoine a rinne an áit uilig i bhfad eile níos meallacaí di.

Ina suí sa chlós le Carlitos, chonaic Muireann éan beag ag snámh san aer os coinne na mbláthanna. Ba é sin an chéad dordéan a leag sí súil air ariamh. D'aithin Carlitos chomh tógtha léi.

'*Col-i-brí*,' a deir sé, ag cur béim ar na siollaí. 'Nach bhfuil sí damanta!'

'Ní raibh a fhios agam go raibh siad chomh beag.'

'Nach bhfuil siad agaibh in Éirinn?'

'Níl ar chor ar bith. Ach an samhradh seo caite, creid é nó ná creid, chonaic Jim rud a bhí iontach cosúil le dordéan sa gharradh sa bhaile in Éirinn. Níor chreid sé a shúile agus chuir sé glaoch ar *Birdwatch*, sin dream a choinníonn súil ar éanacha; dúirt siadsan gur as na tíortha teo a tháinig sé agus gur séideadh anall thar an fharraige é ar an ghaoth — ach nach éan a bhí ann ar chor ar bith, ach leamhan i gcruth éin! An gcreidfeá é?'

'Nach iontach an rud é,' arsa Carlitos. 'Creidimse go mbíonn saol eile againn i ndiaidh na beatha seo agus nuair a thagaimse ar ais, ba mhaith liom pilleadh mar leamhan; chun go séidfí suas go hÉirinn mé ar an ghaoth — saor ó chostais eitilte!'

Bhain sin gáire aisti agus d'amharc seisean uirthi amhail is go raibh sé iomlán dáiríre. D'fhéach siad tamall ar an dordéan ag tabhairt ruathair san aer agus ag pilleadh arís le géarchruinneas ar an bhláth chéanna leis an neachtar a ól lena phróboscas fada.

Bhí Carlitos gealgháireach agus súile lasánta aige. Amanna, nuair a bheadh sé ag inse scéil, léimfeadh sé ina sheasamh agus ní bheadh sé ábalta an scéal a fháil amach gasta go leor. Bhí sé lán scéalta greannmhara. Dhéanfadh sé dearmad glan den cheacht agus bhrisfeadh sé ar scéal ar bhuaileadh boise.

'M'athair,' arsa Carlitos, 'is maith leis a bheith ag ól; maistín ceart ... rud a chuireann a sáith buartha ar mo mháthair, Doña María, mar a thugann sé uirthi. Achan oíche, théid sé síos go dtí an teach tábhairne lena chairde, daoine gan choir — is maith leis comhluadar. Ach, mo mháthair bhocht, shocraigh sí deireadh a chur lena chuid ragairne. Tráthnóna amháin chuir sí i bhfolach a chuid bróg, ní na bróga maithe amháin, ach gach péire bróg a bhí aige agus nuair a tháinig an t-am, caidé a rinne sé ach imeacht leis síos an tsráid costarnocht.

'An dara hoíche, bheartaigh mo mháthair go múinfeadh sise é agus chuir sí i bhfolach a chuid brístí uilig nuair a bhí sé á fholcadh féin. D'imigh sé leis síos chun an tábhairne ina chuid fobhrístí. Agus focal confach ní raibh eatarthu.

'An chéad oíche eile, leis an cheacht a theagasc dó i gceart, ghlasáil sí amuigh as an teach é. Ar philleadh dó i lár na hoíche, é leath stiúgtha, thart i gcúl an tí leis áit a raibh rópa ag crochadh anuas ón vearanda ón am a bhí sé ag cóiriú an dín, agus thoisigh sé a dhreapadh suas an rópa. Chuala mo mháthair an torann agus í sa leaba. Tháinig sí amach agus siúd m'athair spréite faoin vearanda agus a dhá chois san aer i bhfostú sa rópa. "Doña María, scaoil anuas ón dol seo mé, in ainm Dé, agus ní ólfaidh mé aon deoir arís!"

Rinne Muireann a sáith gáire.

'Caidé seo a thug go hEacuadór thú?' a d'fhiafraigh Carlitos di níos moille.

D'éirigh Muireann faiteach ach shíl sí nár dhochar inse dó: 'Brionglóid a bhí agam a thug anseo mé.' Nuair a bhí sé ráite aici, shíl sí go raibh sé amaideach ag teacht óna béal ach d'aithin sí gur thuig Carlitos é mar mheafar. 'Bhí mé ariamh ag iarraidh a theacht go Meiriceá Theas,' a dúirt sí, 'ó bhí mé óg. B'éigean domh a theacht sa deireadh.'

'Tá do chinniúint 'do threorú,' arsa seisean.

'B'fhéidir,' a dúirt Muireann go héiginnte. 'Ach, b'fhéidir go bhféadfá sin a rá faoi rud ar bith.' D'amharc sí suas ar bhallaí glasa an ghleanna agus ar an chros bhán ar a bharr agus dhírigh Carlitos isteach ar na ceachtanna arís.

D'éirigh Muireann luath gach maidin agus chuaigh sí ag siúl léi féin roimh an bhricfeasta. Shiúil sí amach go himeall an bhaile go ceann de na heasanna a bhí ag búirthí anuas ó thaobh an ghleanna agus amach go ceann de na droichid chrochta a thrasnaigh an ailt dhomhain a rith síos le himeall an bhaile. D'amharc sí síos ar an uisce thíos fúithi, uisce a bhí ag toiseacht ar thuras trí mhíle míle trasna na mór roinne go dtiocfadh sé amach san Atlantach. Bhí sí curtha faoi gheasa ag an uisce agus ag an turas sin. Bhí neart ama aici le bheith ag machnamh ach rinne sí iarracht gan smaointiú ar mhórán.

Nuair a phillfeadh sí ón tsiúl, bheadh bricfeasta uibheacha *rancheros* aici, le sú an líoma fáiscthe anuas orthu a lasfadh an t-aer le boladh bláfar. I ndiaidh a rang Spáinnise rachadh sí ag siúl arís fríd shráideacha an bhaile agus, darna achan oíche, ar philleadh chun an lóistín di chuirfeadh sí scairt ar Jim agus dhéanfadh siad mionchomhrá. D'fhiafródh sé di an raibh sí sábháilte agus caidé mar a bhí a lá, agus thabharfadh sé le fios di go raibh sé á cronú.

An oíche sin bhí teas marbhánta ann. Shuigh Muireann sa chlós ag ól buidéal beorach lena cairde úra, beirt bhan a bhí ag stopadh sa lóistín léi. Ba as Manchain do Maxine. Bhí sí dhá scór bliain d'aois agus scartha óna fear céile. Bhí beirt pháistí acu a bhí i mbun a méide. 'Mór go leor le hamharc ina ndiaidh féin,' a dúirt sí. B'as Eacuadór dá hathair agus ba sin an rud a thug anseo í. 'Nuair a fuair sé bás bhí mé ag iarraidh fáil amach cérbh as dó. Chuala mé é ag trácht ar an bhaile seo.' Bhí craiceann bog dubh uirthi agus gruaig ghairid chatach ar a ceann a bhí chomh geal le canach an tsléibhe, rud a chur cuma scéimhiúil uirthi, dar le Muireann. Bhí sí ard agus caol agus shiúil sí chomh státúil. Bhí séimhe ag baint léi a tharraing isteach Muireann ón chéad lá, agus uabhar inti nach bhfaca Muireann in éinne eile a chas sí léi roimhe.

Bhí cuma stuama ar Aréna. B'as Hamburg di agus bhí sí i ndiaidh bualadh suas le Maxine in Baños cúpla lá sula dtáinig Muireann. D'inis Aréna faoi mar a chaith sí seal i bPeiriú ina cónaí le teaghlach amuigh faoin tír. Bhí tús curtha aici le saol úr agus é socraithe aici fanacht agus cónaí i Meiriceá Theas. Mhothaigh Muireann go raibh stair dhomhain aici nár luaigh sí. 'Tuigsint a fuair mé i mo chónaí leis an teaghlach sin; oíche amháin, dúirt fear an tí liom go raibh siad ag glacadh *Ayahuasca* dá mba mhian liom a bheith páirteach. Chonaic mé iad á ghlacadh eatarthu féin le cúpla seachtain agus níor thóg siad callán mór ar bith fá dtaobh de. Maith go leor, a dúirt mé. D'ól muid é darna achan oíche ar feadh coicíse ina dhiaidh sin. Ní raibh mé ag súil le mórán ach de réir a chéile chuidigh sé liom m'intinn a dhíriú ar rudaí faoi leith agus an cosán a shocrú romham. Bhí an t-ádh orm gur chas mé leis na daoine sin.'

Níos moille, tháinig an fhearthainn anuas ina thuilte agus ní fhaca Muireann a leithéid ariamh. Shuigh an triúr acu faoin díon chrochta agus d'éist siad leis na sruthán ag titim ó na tíleanna dearga anuas ar na clocha doirlinge sa chlós. Nuair a stad sé sa deireadh bhí feochán fionnuar ann agus ní raibh an oíche chomh trom marbhánta. Ghlan an spéir agus chonaic siad soilse na dtithe scaipthe thart ar thaobhanna an ghleanna mar réaltóga sa spéir.

Lá arna mhárach, ag ól caife sa chlós le Carlitos, chonaic Muireann an dordéan arís ag pilleadh ar an bhláth chéanna. 'Tá sé i ngrá leis na deora Dé sin,' arsa sise le Carlitos.

Ar chúl Carlitos bhí radharc ar na cnoic agus i lár na gcnoc bhí bolcán a shín suas os cionn an bhaile. Níor thug sí fá dear é go dtí seo, nó bhí sé clúdaithe le néalta ó tháinig sí, ach inniu leis an spéir ghlan ghorm chonaic sí muineál ard an bholcáin clúdaithe le sneachta.

'Sin í Tungurahua,' a dúirt Carlitos nuair a chonaic sé í ag amharc suas air. 'Ciallaíonn sé an craos tine. Tugann muid Mama Tungurahua uirthi, nó tá sí mar mháthair againn. Tá muid ag brath uirthi.'

'Ag brath nach bpléascann sí bomaite ar bith feasta!' arsa Muireann.

Chuaigh siad siar ar na briathra neamhrialta agus sula raibh sin déanta, d'fhiafraigh Carlitos di arís fá Éirinn.

'Ó, tá sé fuar agus fliuch. Thug na Rómhánaigh Hibernia air, mar shíl siad é a bheith ina gheimhreadh ann i gcónaí.'

'Is maith liom an aimsir fhuar,' arsa seisean. 'An mbíonn sneachta ann?'

'Corrgheimhreadh.' D'inis sí dó fán tsneachta mhór a bhí ann an geimhreadh a chuaigh thart, nuair a chuaigh sí féin agus Jim amach i lár na hoíche, é chomh geal le lá agus clúdach bán sneachta anuas thar an chathair. Bhí arán leo do na healaí agus bhris siad an t-oighear ar an chanáil le tuilleadh spáis a dhéanamh don éanlaith. Mhothaigh sin uilig mar shaol eile di anois agus í ag trácht air.

'Ba mhaith liom a dhul go hÉirinn lá inteacht, ach tá sé deacair againn taisteal, bíonn costas mór leis. Níor fhág mé Eacuadór ariamh.'

'Ach, cad chuige an mbeifeá ag iarraidh an tír seo a fhágáil?' arsa Muireann. 'Na daoine ... an aimsir agus na torthaí ... a Mhuire, na torthaí uilig sa mhargadh ar maidin, níor aithin mé a leath. Níl againn ach úllaí agus sméara dubha sa bhaile.'

'Déanaimis malairt mar sin,' arsa seisean.

'Nár dheas,' arsa Muireann.

Tráthnóna, d'iarr Maxine uirthi a theacht léi go linn folctha ar imeall an bhaile. Bhí sé foscailte go meán oíche, muintir na háite is mó a rachadh ann agus ní raibh sé chomh plódaithe leis na cinn eile. Bhí aer na hoíche maoth agus shiúil siad go mall fríd na sráideacha. Chuaigh siad thart leis na siopaí turasóireachta a bhí ag díol turais amach faoin aer; canúáil, raftú, rópadóireacht, léimneach buinsí agus a leithéid. Bhí grianghraif sna fuinneoga de ghrúpaí turasóirí bána ag casadh le daoine dúchasacha san fhásrach; na daoine dúchasacha lomnocht, le sleánna agus saighid, agus na turasóirí thart orthu ag gáire don cheamara.

139

'D'fhéadfaí gur sin mo dhaoine muintreacha,' a dúirt Maxine ag amharc go dáiríre ar na grianghraif. Shiúil siad leo agus d'inis Muireann do Maxine fúithi féin.

Ag an spá d'ísligh Muireann agus Maxine iad féin síos isteach san uisce go mall. Bhí gal ag éirí ón uisce agus eas te ruaimneach ag titim anuas ón tsliabh ar a gcúl.

'Tá leigheas sna mianraí seo,' a dúirt Maxine.

Bhí boladh ruibhe ar an aer ach bhí an t-uisce bog ar a gcraiceann mar shíoda. Bhí an ghrian ina luí le fada agus an spéir dubh brata le réalta. Luigh siad siar ar imeall na linne ag amharc suas go neamh. Mhothaigh Muireann a corp ag éirí socair suaimhneach san uisce agus rinne sí dearmad cá raibh sí. Ní raibh le cluinstin ach síorthitim an uisce agus na glórtha coimhthíocha Spáinneacha thart uirthi.

'Sílim corruair go gcuireann Jim an locht ormsa,' a dúirt Muireann ag leanstan ar a scéal ach ní raibh Maxine ag éisteacht. Bhí a ceann caite siar, a cluasa faoin uisce agus a súile druidte. Dhruid Muireann í féin a súile. Dhéanfadh an t-uisce biseach di, mheas sí.

D'fhan siad uair iomlán sa linn. Choimhéad Muireann seanbhean rúplach ag éirí as an uisce, ag seasamh faoi chithfholcadh fuar agus ag tumadh go gasta sa linn the arís. Rinne sí é cúpla iarraidh agus í ag séideogacht go hard. Shocraigh Muireann go ndéanfadh sí féin an rud céanna. Sheasaigh sí isteach faoin uisce fhuar le foilsceadh agus nuair a bhuail sí an t-uisce te tháinig an codladh gliúragáin ina craiceann cosúil le heanglach a bhain as a cleachtadh í. Chuir sé an fhuil ag gabháil inti, ach cha dtearn sí an dara huair é.

Chuala sí duine ag rá a hainm agus chas sí thart. Carlitos a bhí ann ag slupairt fríd an uisce ina treo. Bhí sé ag gáire:

'Crupfaidh tú a dhéanamh sin,' a dúirt sé. 'Beidh tú mar *granadilla* a fágadh amuigh sa ghrian.'

Bhí lúcháir uirthi é a fheiceáil, cé go raibh sé aisteach casadh leis gan a chuid éadaigh uilig air. Bhí brollach leathan aclaí air. Chuimhnigh sí ar a cara: 'Seo mo chara, Maxine. Seo Carlitos, mo mhúinteoir Spáinnise.'

'Carlitos, chuala muid cuid mhór fút.'

Ba mhaith le Muireann dá slogfadh an linn í.

'Bhí Muireann ag inse dúinn faoin oiread suilt a bhí sí ag baint as do chuid ranganna.'

Las Carlitos: 'An scoláire is fearr atá agam! Agus cérbh as duit féin?'

'Sasain … ach b'as Eacuadór do m'athair. D'fhág sé sna seascaidí agus chríochnaigh sé suas i Sasain.'

'*¿Aprendiste español de su padre?*'

'*Claro*,' arsa Maxine agus lean sí féin agus Carlitos ag comhrá i Spáinnis.

Rinne Muireann a dícheall coinneáil suas agus dhéanfadh sí gáire ag an am cheart ach bhí Carlitos anois ag amharc uirthi cosúil le duine a bhí ag dréim le freagra.

'Gabh mo leithscéal,' ar sise. 'Sílim gur chaill mé rud inteacht.'

'*Antepasados*,' a dúirt Carlitos. 'Ár sinsear.'

'Ó sé, tá sí ag cuartú a cuid daoine muintreacha,' a dúirt Muireann.

'*Todos estamos en busca de algo*,' a dúirt Carlitos.

'Tuigim sin,' a deir Muireann, 'Tá muid uilig ag cuartú rud inteacht.'

Labhair siad leo tamall eile agus shocraigh siad a ghabháil le greim le hithe in áit a mhol Carlitos. 'Beidh dúil agaibh ann,' a dúirt sé. 'Ní áit turasóireachta é. Gheobhaidh sibh blas de chultúr na háite, *hornado* agus Julio Jaramillo.'

Chas siad ar an tsráid leis, i ndiaidh daofa gléasadh, agus thug sé go teach itheacháin iad ina raibh muc i lár an tseomra ag rósadh ar thine ghuail. D'ordaigh sé deochanna agus mhol daofa caidé le hithe: 'Níl de rogha ann ach *hornado,* nó a bheith ar do throscadh. Tá súil agam nach bhfuil ceachtar agaibh in bhur bhfeoilséantóirí.'

'Tá eagla orm go bhfuil,' a dúirt Maxine.

Rinne Carlitos a mhíle brón agus d'eagraigh sé sailéad ón chistin di.

I ndiaidh an tsuipéara, chuaigh Muireann 'na bhaile agus d'fhág sí Maxine agus Carlitos ag ól *tequila* le cúpla cara leis a tháinig isteach. Bhí Maxine ag baint sult as an chomhluadar agus ní raibh sí ag iarraidh fágáil.

Maidin lá arna mhárach, d'éirigh Muireann níos luaithe ná mar ba ghnách. Bhuail sí uirthi a ceirteach agus chuir a mála lae thar a droim. Síos staighre léi agus amach ar an tsráid go suaimhneach.

Bhí na sráideacha folamh. Bhí gach rud druidte suas ar chúl chomhlaí adhmaid agus barraí iarainn mar bheadh baile a bhí ag dréim le hionsaí. Bhí ciúnas fán áit. Shiúil sí suas fríd na sráideacha doirlinge amach go himeall an bhaile áit a raibh na bóithre dorcha agus leathan. Ní raibh duine amháin le feiceáil. Bhí madaí ag tafann i gcéin ach diomaite de sin ní raibh le cluinstin ach geoin bhuan na hoíche féin, geoin d'fhuaimeanna na milliún ainmhithe agus feithidí foraoise a bhí thart orthu sa ghleann.

Suas i dtreo na linne snámha léi. Bhí an foirgneamh i ndorchadas agus ní bheadh sé ag foscailt go ceann cúpla uair. Ar chúl na linne bhí cosán coise a shnígh suas taobh an ghleanna. D'aimsigh sí bun an chosáin a bhí gearrtha sa chloch. D'amharc sí suas isteach sa dorchadas. Bhí an cosán caol leath lasta ag a bhun ach slogtha suas i ndorchadas sna crainn. Thóg sí amach a tóirse. Níor las sí é; choinnigh sí greim daingean air.

Bhí an malaidh crochta agus chas an cosán isteach is amach sna haltáin ar thaobh an chnoic. Roimh i bhfad, bhí Muireann os cionn na dtithe agus radharc aici amach thar an linn snámha agus thar an bhaile. Idir na crainn bhí an *basílica* le feiceáil, leis an dá thúr bhána lasta ag spotsoilse. Bhí sí ag dúil nach mbeadh aon duine ag siúl an ghleanna fán am seo d'oíche ach bhí níos mó d'imní uirthi roimh bheathaigh allta. D'amharc suas an cosán agus lean uirthi. Nuair a tháinig sí amach os cionn an chéad chaschoill, bhí radharc glan aici amach thar an bhaile. Bhí sé i ndiaidh a ceathair a chlog agus bhí sí ag iarraidh a bheith ag barr sula dtosódh an spéir a ghealadh, mar sin choinnigh sí uirthi chomh luath is a bhí a hanáil léi arís.

Thoisigh sí ag smaointiú ar a saol agus faoin bhaile ach cheap sí í féin. Mheas sí dá scaoilfeadh sí lena smaointe go socródh siad féin. Lean sí léi suas an cnoc agus mhothaigh go raibh sí san fhiántas. Bhí sí anois amuigh faoin tír i bhfad ón bhaile bheag. Amuigh ar an chnoc bhí oiread solais as na réalta agus a las an bealach di. Thug an cosán suas isteach sna crainn arís í agus bhí sé dubh dorcha faoi scáth na ngéag. Chuala sí trup sna crainn idir í féin agus an gleann. Chuala sí cluimhreach eiteog agus éan ag bogadh sna brainsí. Idir í agus léas chonaic sí éan ina sheasamh ar ghéag crainn. 'Is súile iad na linnte uisce a dhearcann amach ar an tsaol,' arsa an t-éan. Ní raibh a fhios aici ar thuig sí i gceart. Lean sí uirthi. Amanna, d'éireodh an cosán cothrom agus thabharfaí isteach i gcraosán sléibhe í, le taobhanna díreach suas ar gach taobh; amanna bhí an cosán crochta agus na clocha sleamhain, ach de réir mar a chuaigh sí in airde más éadroime a mhothaigh sí.

Sna crainn bhí sé dubh dorcha ach shamhail sí go raibh an cosán ag lasadh roimpi. Ar imeall a súile bhí cruthanna ag bogadh a bhainfeadh geit aisti ach choinnigh sí greim ar a stuaim. Bhí sráideacha an bhaile thíos fúithi le feiceáil spréite amach mar eangach de shoilse buí. Bhí sí go hard sna cnoic anois agus an cosán coise níos cothroime. Shín an taobh tíre amach ar gach taobh de réir mar a chuaigh sí suas.

Lean sí uirthi gan staonadh go bhfaca sí an barr sa deireadh. Rinne sí air go ceannasach. De réir mar a tháinig sí níos cóngaraí, más airde a sheasaigh na cnoic eile thart uirthi. Chuaigh an cosán thart ar chúl an chnoic agus chas ar ais ar an taobh eile den bhinn. Tháinig sí thart gualainn an chnoic gur sheasaigh sí ar imeall na haille. Bhí sí ar bharr an ghleanna ag amharc amach ar an ghleann mhór agus slabhra de bhailte beaga le feiceáil thíos uaithi. Bhí an spéir glan. Ar a cúl i bhfad siar uaithi bhí Tungurahua. Ní raibh ann ach cruth dubh sa spéir mar bheadh poll dubh i ngréasán na réalt. Ní fhaca sí oiread réalt roimhe agus bhí an spéir mar dhíon os a cionn. Bhí Bealach na Bó Finne ina stua marmair trasna na spéire. D'aithin sí an Chros Theas den chéad uair.

Amach roimpi ar an taobh thall den ghleann, bhí soilse beaga na dtithe ag loinnir mar bheadh sí ina seasamh i measc na réalt iad féin. Tháinig oiread tochta uirthi agus gurbh éigean di suí síos. D'amharc sí amach agus shúigh isteach an iliomad réalt a bhí le feiceáil siar isteach sa tsíoraíocht. D'anáil sí isteach an t-aer úr. Dhruid sí a súile.

Sheasaigh sí ar imeall na binne. Chuala sí sitheadh na n-eiteog os a cionn. D'amharc sí suas agus chonaic éan dubh. Mhothaigh sí í féin ag éirí. D'ardaigh sí san aer agus mhothaigh sí go raibh sí os cionn an talaimh. Bhí sí ag snámh san aer. Lean sí léi amach sa spéir go raibh sí os cionn an ghleanna gan fúithi ach aer bog. Chuala sí eiteoga ag bualadh an aeir. D'amharc sí thart agus bhí an t-éan dubh ag eitilt léi. Chonaic sí an t-éan roimhe sin, i mbrionglóid b'fhéidir. 'Is iad na linnte uisce súile an chnoic,' a dúirt an t-éan. Ansin mhuscail sí. Néal a tháinig uirthi. D'amharc sí thart agus bhí sé dubh dorcha. Bhí sí ina suí ar bharr an chnoic agus bhí an spéir ag toiseacht a ghealadh amach soir. D'fhoscail sí a mála agus thóg amach lón beag. Shuigh sí ag ithe a lóin agus ag amharc ar an lá ag bánú roimpi. Bhuail solas na gréine barr Cotopaxi, an cnoc is airde, ar tús agus sheasaigh an bolcán amach mar ghob dearg os cionn an cheo íseal a chruinnigh fána bhun. Spréigh an ghrian a gathanna anuas thar an tír ag lasadh barra na gcnoc ceann ar cheann go raibh an talamh go léir ildaite. Shuigh Muireann gur umhlaigh an domhan i dtreo na gréine ar a cor síoraí. Chuir sí a mála ar a droim agus shiúil sí síos an cosán caol go héadrom.

Ní theachaidh sí chuig a rang Spáinnise an mhaidin sin agus bhí bricfeasta fada aici i mbialann ar dhíon ceann de na hóstalláin i lár an bhaile. Chuaigh sí ar ais chuig a teach ósta agus phacáil sí a málaí. Shocraigh sí a bille san óstán agus rinne a bealach go stáisiún na mbusanna. Cheannaigh sí ticéad agus chuaigh sí ar bhus a thabharfadh í go Puyo. Thug an bus thar na cnoic í, ag leanstan na habhna go dtáinig siad amach ag bun na sléibhte san fhásrach. De réir mar a d'ísligh siad ó na sléibhte, d'aithin sí an taobh tíre ag athrú. Thiomáin siad fríd na cnoic arda le cumhdach tiubh crann orthu go dtáinig siad amach ar mhachaire mór, dufair leathan a bhí tiubh agus te. Thar an mhachaire leo agus síos tuilleadh isteach san fhíorfhásrach. Bhí néalta móra arda mar thúir ag éirí sa spéir. Thart uirthi bhí glas, teas, tiús agus allas. Thug sí fá dear go raibh na daoine níos airde, craiceann mín orthu agus súile dubha.

Nuair a shroich sí Puyo, fuair sí bus eile ó thuaidh go Tena agus as sin bhí bus poiblí ag fágáil go Misahuallí, baile beag ar bhruach an Rio Napo. D'amharc sí amach ar na tithe beaga adhmaid agus ar na crainn phailme agus fuair sí corr-radharc ar na haibhneacha a rith síos i dtreo na hAmasóine.

Ar theacht den bhus di in Misahuallí, shiúil sí amach ar chearnóg a bhí clúdaithe le crainn. Shuigh sí ar bhinse i lár na cearnóige. Bhí an t-aer lán le hiontas. Ina suí ansin léi féin, smaointigh sí go raibh sí ag iarraidh imeacht agus gan pilleadh. Smaointigh sí gur mhaith léi claochlú nó pilleadh mar dhuine eile. Shuigh fear coimhthíoch ag a taobh agus thoisigh sé a labhairt léi. Rinne sí a dícheall é a thuigbheáil ach níor thuig sí ach fíorbheagán. Labhair sé gan stad, ag rá rud inteacht faoin abhainn agus faoin fhásrach. I ndiaidh tamaill, ghabh sí a leithscéal, d'éirigh agus shiúil síos i dtreo na habhna ag bun an bhaile. Bhí an ghrian i ndiaidh dul faoi agus bhí an t-aer dorcha fá bhruach na habhna faoi scáth na gcrann. Bhí trá mhín lábáin ag síneadh amach san abhainn. Bhain sí di a bróga agus sheasaigh sí san uisce. Chuala sí na buafa ag grágaíl agus chuartaigh sí iad sna poill. Chonaic sí daoine ag bogadh sna crainn. Bhí bádaí fada adhmaid ceangailte suas ar thaobh an bhruaigh. Bhí an t-uisce domhain agus dorcha agus rith sé uaithi go gasta. Bhí sé á tarraingt leis, ag iarraidh uirthi a theacht ar a thuras. Ach b'fhada an bealach go dtí an tAigéan Atlantach fríd thíortha aineoil go béal na hAmasóine.

An tráthnóna sin fuair sí lóistín taobh amuigh den bhaile in óstlann bheag agus luigh sí in ámóg ag amharc suas ar na réalta. Níor chuir sí glaoch ar Jim an oíche sin. Bhí sé ar intinn aici bád a fháil soir ó thuaidh i dtreo Coca, ar an Rio Napo, agus as sin coinneáil uirthi soir chomh fada is a thiocfadh léi.

A Chéad Fhaoistin

Chaith sé súil ar a uaireadóir. D'fhéach sé anonn ar an ró tuismitheoirí agus thart ar a chúl i dtreo dhoras an tí phobail. Chonaic sé an sagart ansin réidh. D'éirigh sé ina sheasamh leis an phobal agus shiúil an sagart aníos i lár an tséipéil lena lucht friothála. D'amharc sé suas ar an dá chathaoir a bhí ag ceann na haltóra: cathaoir dó féin agus ceann don mháthair nach raibh anseo go fóill. Bheadh air féin agus máthair a mhic suí sa dá chathaoir a fhad agus a dhéanfadh a mhac a chéad fhaoistin leis an tsagart i ndiaidh an Aifrinn. Ba é seo an gnás úr, de réir an mhúinteora. D'amharc sé siar arís ar na doirse nuair a shuigh sé. Ní raibh iomrá ar bith ar Eimear.

D'amharc sé suas ar an tséiplíneach óg a bhí ag cur fáilte neamhfhoirmiúil roimh an phobal. Níor aithin sé é. Bhí cuma dhúthrachtach air. D'aithin sé an sagart. Muna dtagadh Eimear, ní raibh neart aigesean air, smaointigh sé. Dúirt sé ar an fhón léi gan a bheith mall.

Bhí a mhac ina shuí cúpla suíochán roimhe leis na páistí eile a bhí ag fanacht lena gcéad fhaoistin a dhéanamh. Bhí siad go socair múinte; pictiúr na naofachta. Bhí a chuid focal cleachtaithe go maith ag a mhac: Beannaigh mé, a Athair, mar is peacach mé. Is é seo mo chéad fhaoistin agus is iad seo mo chuid peacaí … bhí sé faoi féin ina dhiaidh sin.

Chleachtaigh siad sa charr arís é ar an bhealach chun an Aifrinn. 'Nach dteachaidh do mháthair thaire seo leat sa bhaile?' a dúirt sé leis an fhear óg. Thug Darach comhartha a chinn agus d'amharc amach an fhuinneog. D'amharc sé ar a mhac ag a thaobh sa charr, é chomh leanbaí ach chomh cosúil le fear óg cheana féin. Gasúr beag bogdhéanta, dar leis, cosúil lena mháthair. Bhí sé ceanndána agus ní chuirfeadh an diabhal féin isteach air, fiú má bhí sé rud beag scaipthe.

Nuair a thoisigh Darach ar an scoil, sin an uair a thoisigh sé féin agus Eimear a theacht chun Aifrinn arís. Bhí dúil aige sa struchtúr a thug sé dona shaol, rud a bhí caillte aige le tréimhse. Níor chreid sé i rud ar bith, ach go bhfaigheadh sé féin bás agus go raibh an t-am a chaithfeadh sé go dtí sin fiúntach ar dhóigh inteacht, ach bhí sé ag iarraidh nach mbeadh a mhac pioctha amach as measc an tslua, go mbeadh seans inteacht aige. Déanta na fírinne, bhí dúil aige féin éisteacht le glór an tsagairt, i ndiaidh deireadh, cheansaigh sé, ar feadh tamaill, an braodar corrach a bhí ar a intinn. Ní éisteadh sé leis na focail a deireadh an sagart ach ligeadh den fhuaim ní thairis cosúil le fuaim chealgach innill. Bhí a fhios aige na freagraí agus dúirt sé iad ina cheann gan smaointiú, ní raibh sé ábalta iad a stad, agus amanna d'fhosclódh sé a bhéal ag rá na bhfocal. Bhí dúil aige sna fuaimeanna cé go raibh a mbrí caillte air. Ní theachaidh sé chun Aifrinn chomh minic, ó d'fhág Eimear.

Bhí an sagart ag míniú shacraimint na haithrí do na páistí agus an t-athrú mór a thiocfadh leis. Bhí fonn dóchasach páirteach ar a chaint.

D'amharc sé suas ar a mhac. Chuimhnigh sé ar an lá a thug sé chuig traenáil faoi sheacht é agus in áit suim a chur sa chluiche, chuaigh Darach thart a phiocadh nóiníní sa pháirc. Agus mar bharr ar an iomlán, chuaigh sé suas chuig an traenálaí leis na bláthanna, ag iarraidh a bheith á dtabhairt mar bhronntanas. D'amharc an traenálaí ar Dharach mar bheadh sé ó mhaith agus thug air na bláthanna a chaitheamh uaidh. Chuimhnigh sé mar a mhothaigh sé an lá sin agus chuaigh broideadh beag coinsiasa fríd. Ní raibh Darach ach óg agus soineanta, agus bhí sé sásta go raibh a dhóigheanna beaga féin aige.

Cuireadh tús leis an Aifreann agus chuaigh sé ar a ghlúine leis an tslua. Ghluais a mheabhair chun tosaigh leis an tseomra. Smaointigh sé ar Julie. Bhí siad le chéile anois sé mhí. Bhí sise maith do Dharach. Sheasaigh sí sa doras ina cuid éadaigh leapa ag fágáil slán leo ar maidin. Maidin sheaca leis an ghal ag éirí óna cupa caife. Bheadh sí ag fanacht nuair a phillfeadh sé leis féin ón Aifreann. Rachadh sé fá choinne lóin le hEimear i ndiaidh an chéad fhaoistin a dúirt sé agus bheadh sé ar ais chomh luath is a thiocfadh leis. D'oibir sé ón bhaile agus bhí Julie idir jabanna. Bhí sí ag déanamh a díchill. Bhí Darach aige leath an ama; trí nó ceithre lá sa tseachtain agus corruair chaithfeadh sé an tseachtain iomlán aige, ag brath ar sceideal Eimear.

Canúint choimhthíoch a bhí ag an tséiplíneach. Bhí an teach pobail leathlán agus macalla toll diamhaire ann. Shílfeá gur ag coscairt a bhí an foirgneamh leis an adhmad ag casadh agus ag criongán. Amuigh ar chúl an tsacraistí bheadh an siocán ag leádh isteach sa talamh leis an ghrian fhuar a bhí sa spéir. B'iomaí uair a sheasaigh sé amuigh ansin ag fanacht leis an Aifreann críochnú nuair a bhí sé ina ghasúr ina luí amuigh ón Aifreann. Rud ar bith ach déanamh mar ba chóir.

Bhí Darach go fóill ag an aois nach dtiocfadh lena athair cos a chur as bealach, ach bhí a fhios aige go dtiocfadh an lá nach raibh sé ag dúil leis. Bhainfeadh sé sult as fad agus a

mhairfeadh sé. D'imreodh sé peil leis nuair a thiocfadh leis.
Shiúlfadh siad an leathmhíle chun na scoile nuair a bheadh
an aimsir maith. Amanna rithfeadh siad giota den bhealach,
dá mbeadh siad mall nó díreach as tréan spóirt. Dúirt Darach
leis tráthnóna amháin nuair a bhí siad ag fáil a ndinnéara sa
teach leanna: 'Nuair a bhímse ag siúl an bhealaigh, sílim go
mbíonn daoine ag déanamh go bhfuil mé craiceáilte.'

'Cad chuige seo?'

'Bíonn siad ag déanamh go bhfuil mé craiceáilte ar scoil cé'r
bith, nó bímse i gcónaí ag iarraidh an posta a bhuaileadh leis
an bhál agus deir siad liom go bhfuil sin craiceáilte. Ach, an
lá fá dheireadh, bhuail mise an posta, tháinig an bál amach
agus fuair mé cúl.'

'Bhí sin cliste.' D'amharc sé ar Dharach ag séideadh boilgeog
ina dheoch le sifín agus shíl sé go raibh sé mar bheadh duine
beag nár aithin sé ar chor ar bith.

Bheadh pionta nó dhó aige sa teach leanna Dé Domhnaigh
ach le tamall anuas thoisigh sé a dh'ól sa bhaile. B'annamh a
ghníodh sé é ar tús, ach i ndiaidh tamaill bhí sé ag déanamh
an chuid is mó dá chuid ólacháin sa bhaile. Cheannódh sé
deoch sa bhaile mhór, áit nach n-aithneofaí é. Ag fágáil a mhic
ag an chlub spóirt, Satharn amháin, chuala sé duine de na mná
ag déanamh trua dó ar chúl a chinn. Rinne sé neamhiontas
di ach ba é trua an rud deireanach a bhí uaidh. Bhí sé ag
déanamh go breá. Dá gcoinneodh achan duine a ngnoithe acu
féin. Ba sin sular chas sé le Julie. Bhí Julie go maith dó ar go
leor bealaí.

Thóg sé amach a fhón. Muna dtiocfadh Eimear bheadh air
suí thuas sa chathaoir leis féin. Ní rún ar bith go bhfuil muid
scartha, ach shílfeá go mbeadh sí in am ar mhaithe lenár mac,
a mheabhraigh sé.

Níor luaigh sé an chéad fhaoistin lena athair. Níor labhair sé leis mórán níos mó. Ní raibh mórán acu le rá le chéile. Nuair a bhí a athair tinn cúpla bliain ó shin, tharraing an teaghlach uilig le chéile, d'éirigh siad closáilte ar feadh tamaill, fada go leor le haighneachtaí an teaghlaigh a tharraingt aníos arís. Rinne seisean síocháin lena athair ag an am agus shocraigh siad bogadh ar aghaidh. Ní raibh a athair sásta gur scaoil sé leis an phósadh ach thug sé isteach dó sa deireadh. Rachadh sé ar cuairt agus labharfadh siad, ach ní faoi rud ar bith domhain. Bhí dúil aige san achar a bhí eatarthu, bhí siad ábalta labhairt ar ghnáthrudaí: An bhfaca tú an *wheel-brace*? Tá an aimsir le bisiú. Beidh an uaigh le glanadh do Dhomhnach na Reilige.

Bhí an sagart ag caint i nglór ceolmhar agus d'éist sé. Bhí culaith ghaisce ar na focail, chonacthas dó, chuaigh siad síos agus suas i gcasaíocha ina raibh údarás agus trua fite le chéile.

Thóg sé amach a fhón an athuair. Mhúch sé an fhuaim. Chuir sé ar ais ina phóca é agus d'amharc thart ar na tuismitheoirí eile: fear óstáin, múinteoir scoile, comhairleoir contae, beirt eile nár aithin sé, fiaclóir ... bhí sé leis an mhúinteoir scoile nuair a bhí siad ina ndéagóirí, sula dteachaidh siad chun an choláiste. Níor labhair sé mórán léi ó shin ach mhothaigh sé ceangal éiginnte eatarthu. Bhí sí pósta anois agus cúpla páiste aici, beirt nó triúr.

Ag tagairt de threoir agus de rialacha a bhí an sagart, go raibh an saol ag scinneadh tharainn róthapaidh agus gur ghá dúinn moilliú síos agus torthaí ár ngníomhartha a mheas. Gan cathair an chreidimh, a dúirt sé, tá muid inár n-aonar.

Rinne sé féin go leor rudaí nach raibh ceart, cuid acu nach raibh cóir, ach níor thuig sé ariamh caidé rud peaca. Chaith sé a shaol chomh maith is a thiocfadh leis ach níor shéan sé ariamh a mhianta. Bhí sé buíoch nach raibh a mhianta chomh deacair a shásamh. Ba mhór an rud dó riamh déanamh mar ba mhian leis. Nuair a ghlac sé Ketamine den chéad uair shleamhnaigh sé síos isteach i bpoll dubh, sin an uair a raibh sé cinnte nach raibh Dia ann. Sin an t-am a chonaic sé an duibheagán. Folús, an focal ceart. Bhí sé chomh fada síos gur shíl sé go raibh sé ag teacht ar ais aníos ach ag titim a bhí sé. D'fhoghlaim sé nach bhfuil bun ar bith ann. Ach bhí sé ar a shuaimhneas leis sin. Mhothaigh sé go dtug sé saoirse áirithe dó féin ina shaol agus bhí sé anois chóir a bheith saor ó mhothúchán agus ó chiontacht. An t-aon uair a mhothaigh sé ciontach ná nuair a sháraigh sé a mhoráltacht féin. Bhí línte áirithe tarraingthe aige agus bhí a fhios aige cén fhad a shín a choinsias. Lig sé dá mhianta síniú chomh fada lena mhoráltacht. Bhí sé den tuairim gur rialacha a bhí sa mhoráltacht a stopann tú rudaí atá sa nádúr agat a dhéanamh; gur rud intleachtach a bhí ann taobh amuigh de do nádúr, a threoraigh do ghníomhartha, agus go ndéanann duine dá réir mar gurb é an rud 'ceart' é le déanamh. Bhí a fhios aige a mhoráltacht féin, chreid sé ann agus thrust sé ann. Bhí a fhios aige cén uair a sháraigh sé é agus gurb eisean a chaithfeadh a bheith beo leis sin. Amanna mhothaigh sé ciontach as a theorainn a shárú ach ba chuma leis caidé a shíl duine ar bith eile dó; chomh fada is nár sháraigh sé saoirse duine eile. Ba chuma leis fá náire nó d'fhiach sé scaoileadh le náire. Tháinig náire ó dhaoine eile, dúirt sé leis féin, daoine eile ag sárú do shaoirse. Ach bhí a fhios aige nach féidir a bheith beo gan saoirse daoine eile a shárú agus bhí a fhios aige gur rith an náire go domhain ann féin, cé gur a mhac a ba mhó a bhíodh thíos lena chionta anois de ghnáth.

Nuair a bhí sé óg, bhí am ann a raibh sé bródúil as a chuid

peacaí. D'inseodh sé don tsagart iad lán le huabhar na hóige. Ba sin an dúshlán, liosta breá a bheith réidh acu; toradh a shamhlaíochta ar an chuid is mó. Bhí amanna a chaitheadh sé clocha d'aonghnoithe le hé a bheith le hinse aige don tsagart. Ach, sin sula dtáinig sé go haois céille, agus stad sé a dhul chuig faoistin de réir a chéile. Ní fhaca sé gur chuidigh sé leis saol níos fearr a chaitheamh nó mhothaigh sé gur sháraigh an gníomh sin a chuid freagrachta féin. Tá gach ní beo ag iarraidh mairstean agus go mairfeadh a chineál féin, a d'inis sé dó féin. Níl ceart eisiach ag éinne air sin. Chonaic sé maitheas mar ghníomhartha a chinnteodh go mairfeadh do chineál féin ... agus olcas mar aon rud a rachadh ina choinne. Agus chun go mairfeadh ár gcineál féin, chreid sé go bhfuil an duine, nó aon rud beo, ag brath ar go leor cineálacha eile chomh maith, mar sin de, gurb é dea-ghníomh aon ghníomh a chuireann le saol na gcineálacha go léir a chinntíonn go maireann ár gcineál féin. Bhí sé chomh furast sin, dar leis. Agus ba chaolchúiseach na gníomhartha sin in amanna. Ealaín, a thuairimigh sé, mar go dtugann sé faoiseamh agus dóchas; mar an gcéanna le siamsaíocht, a chuidíonn linn dul ar aghaidh. Ceol, dealbhóireacht, lúthchleasaíocht; léiriú ar an bheatha agus ar chruthaíocht an duine. Tagann maitheas go nádúrtha ón duine mar go bhfuil gach rud beo ag iarraidh dul ar aghaidh agus go rachadh a chuid géinte, nó géinte a ngaolta, ar aghaidh, diomaite de chorr-eisceacht. Le cleachtadh, titeann muid isteach ar ár ndea-iompar agus, díreach mar a éiríonn ceoltóir maith trína bheith ag cleachtadh ceoil, éiríonn daoine maith trína bheith ag déanamh rudaí maithe, a smaointigh sé. Ach, a bheith beo, de réir a nádúir féin, mar ainmhí réasúnach, ba sin an méid a bhí uaidh ... ach ní i gcónaí a mhothaigh sé dea-thoil dá chomharsana. Agus ní i

gcónaí a dhéanfadh sé rudaí a bhí lena leas féin, nó, gan
rabhadh ar bith, dá shaorthoil féin, agus in éadan gach rud a
bhí ceart agus nádúrtha agus leagtha amach aige, dhéanfadh
sé gníomh amaideach inteacht a thabharfadh a dhúshlán dá
stuaim. Chaithfeadh sé cloch.

Chuaigh an pobal ar a nglúine agus d'fhiach sé a dhul i
dtiúin le meon an tseomra. Bhí aithne shúl aige ar an fhear
ag a thaobh ... aithne aige air le tríocha bliain, ó bhí siad ina
bpáistí, cé nár labhair siad mórán ariamh. Roinn siad na
smaointe céanna sna suíocháin chéanna Domhnach i ndiaidh
Domhnaigh anuas fríd na blianta; nó b'fhéidir nach raibh an
smaointiú céanna acu ariamh. Chaith siad a saol ag déanamh
aithris ar a chéile agus ag mothú aiféaltas a chéile gan teag-
mháil a dhéanamh ariamh diomaite de lámh a chroitheadh
ag Aifreann Domhnaigh. Dá dtiontódh ceachtar acu anois
agus a lámha a chaitheamh thart ar an fhear eile, cá bhfios
nach ndéanfadh an duine eile amhlaidh, a smaointigh sé.

Thug sé aird ar an tsagart. Thug sé iarraidh éisteacht ach
chuaigh a intinn ar eiteoga arís. Nuair a shuigh sé siar sa
tsuíochán arís fuair sé boladh cumhra na mná ar a chúl cé
nach bhfaca sé í.

Má ghlactar leis nach bhfuil an t-olcas mar mhalairt ar an
mhaitheas, a smaointigh sé; má ghlactar leis nach bhfuil olc
agus maith mar dhá thaobh den aon bhonn amháin, ach go
bhfuil an mhaith mar mheán idir an t-olc go léir, idir dhá
bhall antoisceacha an oilc: le hiomarcach ar thaobh amháin
agus easnamhach ar an taobh eile. Tá crógacht maith, a mheas
sé, an chrógacht cheart, ach luíonn crógacht idir an iomarca
dánachta agus easpa claidhreachta; luíonn flaithiúlacht idir
ainnise agus drabhlás; cineáltacht idir iomarca neamhshuime
agus easpa sainte. D'fhéadfá a rá nach bhfuil dhá thaobh ann,

mar mhaith agus olc, ach go bhfuil dorchadas ann ar gach taobh agus go bhfuil gile de chineál éigin sa lár. Tá an ceart mar chosán geal fríd choill na héiginnteachta. D'fhéadfadh muid a dhul ar dheis nó ar chlé ach, cá bith bealach a dtéann muid, lasann sé suas an bealach dúinn go léir. Níl a fhios ag duine ar bith gurb é an bealach ceart nó contráilte é go mbaintear triail as, nó tá muid go léir ag stámhaillí sa dorchadas. Mar sin de, an rud atá ceart, is cosán é a bhuailtear amach sa dorchadas, aontaithe i gcomhthoil leis na coisithe eile. Dá bhrí sin, tógann mórchuid an cosán céanna, agus ní gá gur bealach díreach é. Ach má théann duine síos cosán atá a fhios aige a bheith doiléir agus dainséarach agus mícheart, agus é sin a dhéanamh d'aonghnoithe, in ainneoin thoil na ndaoine, nach é sin an áit a bhfuil an deacracht? An é sin ainmhian an duine, nó a chrógacht? Caithfidh daoine seansanna a ghlacadh, mheas sé, nach rud folláin é sin, ach má sháraítear rialacha na sochaí.... Chonaic sé an rud go léir mar chrann solais agus cleachtaithe daonna mar bhrainsí ag fás amach sa dorchadas doshamhlaithe. Feonn na brainsí nach mbíonn rath orthu. Preabann an solas agus téann sé as. Amanna dingeann an tsochaí daoine síos cúlbhealach chun an chuid eile a shábháil — ofrálann muid suas íobairtí. Cruthaíonn an tsochaí éanacha corra ... agus ansin scriosann sé iad. Smaointigh sé ar rud a dúirt a sheanuncail leis uair amháin: má tá scriú beag ar bith scaoilte sa chloigeann agat, a dúirt sé, coinneoidh siad leo ag piocadh ar an scriú sin go dtí go mbeidh an diabhal rud bainte amach ar fad acu.

Tháinig an ghrian amach ar chúl na fuinneoige daite ar chúl na haltóra agus theilg sí cearnóga breaca ar an bhalla. D'amharc sé suas ar a mhac agus tháinig cuimhne chuige óna óige. Lá a chéad Chomaoineach, bhí sé lena athair agus a uncail agus é féin gléasta i gculaith éadaigh den chéad uair. Culaith dhúghorm cosúil le ceann a athara. Shuigh sé idir an péire, cultacha agus carbhait ar an triúr. Ag amharc suas ar a athair an lá sin, rinne a athair neamhiontas dó, agus bhí sé bródúil go dtearn sé sin, nó chiallaigh sé sin gur ghlac sé leis agus go raibh sé mar dhuine fásta anois. Ba é seo an rud a bhí sé cosúil leis a bheith i do dhuine fásta: neamhiontas a dhéanamh dá chéile agus culaith ort.

Chaith sé tús a óige ag iarraidh a bheith cosúil lena athair agus ó shin ag iarraidh a mhalairt a bhaint amach. Ní fiú domh anois triail gan a bheith cosúil leis, smaointigh sé, nó tá gach mac ag iarraidh rud nach féidir lena athair a thabhairt dó. Thig le d'athair tú a fhágáil le d'iomaire féin a threabhadh ach caithfidh tú do shaoirse féin a dhéanamh. Agus, má bhaineann tú saoirse ar bith amach, tagann dualgais leis ... leanann na dualgais thú.

Bhí páiste sa tsuíochán roimhe agus sárlaoch plaisteach leis a bhí sé a bhualadh ar an tsuíochán adhmaid. Níor aithin a mháthair go raibh an trup ag macallú thart ar na ballaí, sin nó ba chuma léi. Rinne duine casacht, mar fhógairt shílfeá, agus d'fhreagair duine eile le srólfach. Scar sé minicíocht na bhfuaimeanna ina intinn, greadfach an tsárlaoich phlaistigh ag dreo mar mhacalla agus ag meascadh le dord geoine an tseomra. Smaointigh sé go raibh dia uainn go léir. Caidé eile mar a bheimis nuair a fheicimid aghaidheanna sna néalta agus nuair a labhraímid lenar gcarranna agus lenár ríomhairí?

Bhí an sagart ag fáil fríd an Aifrinn go sciobtha agus ní i bhfad anois go nglaofaí suas orthu. D'amharc sé ar a fhón go gasta. Ní raibh scéala ar bith ó Eimear. Bhuail sé amach téacs faoi choim: Cail tu ffs? 5 bhom.

D'amharc an sagart anuas agus d'amharc an pobal suas

mar dhream a bhí ag súil le soilsiú intinne. Choimhéad sé gasúr roimhe ag tógáil fón as mála a mháthara i ngan fhios. Dhearc an gasúr aníos air i gcomhcheilg. Chuir an gasúr isteach an pasfhocal agus thoisigh a dh'amharc ar fhíseáin.

An fisiceoir ina chuid oibre, a mhachnaigh sé, bíonn sé ag plé le mórcheisteanna an duine: caidé is ciall le ham, caidé is brí le nithiúlacht féin? Caidé rud neoidríonó, graibheatón? Caidé a bhí ann roimh an phléascadh mhór a chuir tús leis an cheathairchruinne? Má bhí a leithéid ann? Caidé an dóigh ar féidir d'intinn a fháil thart ar na rudaí sin go léir, iad a shamhailt, ní hamháin a mhíniú? Ach nuair a théann sé 'na bhaile tráthnóna, fágann an fisiceoir na ceisteanna go léir ar leataobh le buidéal a thabhairt don leanbh. An fáth go bhfuil na reiligiúin chomh héifeachtach, a smaointigh sé, ná go ndéanann siad amach go bhfuil réim acu thar gach dícheall daonna; an eolaíocht, an ealaín, oideachas, moráltacht, faisean, smaointe, margaíocht, pósadh, mar a chaitear le corp an duine féin; gach intleacht a cheap an duine, áitíonn na reiligiúin gur acu féin amháin atá an ceart agus an tuiscint. Ach, tá creidimh ag brath ar na rudaí nach bhfuil eolas againn orthu. Má chruthaíonn eolaí go bhfuil Dia ann, ní bheidh aon ghá le creideamh.

Thóg an sagart an Corp Chríost in airde agus bhuail an clog. Dhamhsaigh an choinneal mar bhladhaire an chéad tine sa phluais. Chuntas sé na cearnóga ar imeall éadach na haltóra. Chuntas sé arís iad. Bhí seasca ceathair cearnóg ann gach uair. Ba sin ocht cearnaithe. Ceathair ciúbaithe. Tríocha dó fá dhó. Sé déag fá cheathair. B'uimhir shásta é, dar leis. Chuir sé sásamh air. Ach ina dhiaidh sin is uile, nár dheas dá mba 61 cearnóg a bhí ann ó am go ham, a smaointigh sé, nó 67. Shamhlaigh sé é féin ag éirí ina sheasamh agus ag búirthí amach ar bharr a ghutha. Shamhlaigh sé é féin ag strócadh rudaí ó na ballaí agus ag siúl amach ... an faoiseamh ... agus fuair sé faoiseamh as é a shamhailt. Smaointigh sé go raibh smacht aige ar a intinn, nach mbrisfeadh sé fiú dá mbeadh sé ag iarraidh. D'fhoghlaim sé a bheith stuama. Shamhlaigh sé é féin ag scairtí amach drochrudaí, mionnaí móra agus eascainí, é féin ag bualadh an tsagairt lena dhorn, é féin agus Julie ag greadadh ar an altóir. Stop, a deir sé.

Bhí na rudaí seo a bhí sé a shamhailt ceaptha aige leis na híomhánna eile a mhaolú, na híomhánna a bhí fíor. Bhí rudaí a bhí sé a shéanadh agus rómhaith a bhí a fhios aige é. Stop. Stop. Tharraing sé anáil. Tostann stoirm agus tagann séimhe. Cosúil le haimsir: brú ard, brú íseal; triomlach, fliuchlach. Glacann muid í mar a thagann sí agus ní maith cúl a thabhairt di. Ní áit d'amhras é, ná do laigeacht. Ach is furast sin a rá. Caith aníos íomhá ghrafach eile, arsa seisean leis féin. D'fhoghlaim sé na taomanna a smachtú. Ba é an cleas a bhí aige ná séanadh. Tagann sin furast, dar leis. San fhochoinsias bíonn cuimhne agat i gcónaí, cé go gceileann tú é le do chroí go hiomlán. Is ord mór é an séanadh a bhuaileann síos na drochsmaointe. Gan séanadh, ní bheadh beo orm, a mheas sé. Smaointigh sé go mbeadh saol gan séanadh ina shaol gan chreideamh, mar chun creidbheáil, caithfear séanadh. I saol gan séanadh, d'éireoinn agus shiúlfainn amach anois. Is ionann creideamh agus séanadh. Séanaim go bhfuil mo shaol ag pointe briste — leanfaidh mé ar aghaidh mar sin, tá mé go breá. Le creidbheáil, caithfidh tú an t-amhras a shéanadh.

'Tógaigí bhur gcroíthe in airde,' a dúirt an sagart agus chuala sé é féin ag tabhairt freagair os ard. Chrom sé a cheann. D'amharc an mháthair ar a mac ag súgradh leis an fhón agus rinne sí místá leis an pháiste. Choinnigh sé a cheann crom agus nuair a bhí am comhartha na síochána ann, chroith sé lámh leis na daoine thart air agus shuigh siad.

Bhí na daoine sa toiseacht ag seasamh le dhul chuig comaoineach. Smaointigh sé go mbeadh sé fuarchráifeach aige féin a dhul chun na haltóra. Ach, muna rachadh go mbeadh sé ag tabhairt barraíocht creidiúna don ghníomh é féin. Muna gcreidim, ar seisean ina intinn féin, muna gcreidim — agus mar chat, thóg sé a chos den luchóg — níor chóir domh a bheith anseo. Má théim suas, tá mé ag tabhairt isteach do dheasghnáthas; muna dtéim suas, tá mé ag tabhairt isteach do mhífhonn nó ag tabhairt barraíocht ómóis. Rachaidh mé suas, cén dochar? Cad chuige nach dtéinn suas chomh maith le duine? Má théann tú suas, tá tú ag druid d'intinn, ag cruthú teorann. Caithfidh tú creidbheáil le creideamh a bheith agat. Ní thiocfadh leis an fhimíneacht a sheachaint agus d'fhan sé ina shuí. Choimhéad sé gach ró ag éirí le dhul suas ar a seal agus nuair a d'éirigh na tuismitheoirí ag a thaobh d'éirigh seisean fosta. Sheasaigh sé sa scuaine. Sheachain sé na súile eile ach ba chuma leis. Bhí sé buartha gur éirigh sé. Ach ba mhaith an rud é, a dúirt sé leis féin, a bheith ag tabhairt dea-shampla dá mhac. Shiúil sé go humhal i dtreo na haltóra agus thóg sé an chomaoineach. Chuaigh sé ar a ghlúine nuair a phill sé ar a shuíochán agus bhí a intinn mar leathanach bán. Smaointigh sé ar Eimear. Bheadh cúis mhaith aici, a dúirt sé leis féin. Bhí sé buartha fúithi. Bhí sé ag súil go raibh sí i gceart ... ach shílfeá go gcuirfeadh sí teachtaireacht. Ag am faoistine shuíodh sé sa tsuíochán ar an altóir leis féin a fhad agus a dhéanfadh a mhac a chéad fhaoistin agus sin a mbeadh de. Thug sé fá dear gur bhog na scáilí ar an bhalla ag barr na haltóra. Smaointigh sé go mbeadh an siocán go fóill ag leádh isteach san fhéar ar chúl an tsacraistí; na criostail gheala ag imeacht ina n-uisce. Caithfear cuimhneamh ar rudaí áirithe achan lá, a dúirt sé leis féin, tamall beag a thabhairt daofa sa dóigh is nach dtagann siad aniar aduaidh ort. Smaointigh sé ar an fhuinneog dhaite sa halla sa bhaile. Ar maidin nuair a bhíonn an ghrian ag doirteadh isteach, caitheann sé cearnóga fada ar an urlár adhmaid. Bhí air an gloine a athrú le gairid mar gur bhris Darach an pána leis an bhál. Tá sé i gcónaí níos fusa rudaí a bhriseadh, a dhúirt sé leis féin, ná iad a chóiriú, ach ní raibh neart aige air.

Na hÓráidí

Sheasaigh fear suas le práta donn ar bharr a chinn agus d'fhógair sé os aird a ghutha don tslua:

'Níl seo maith go leor. Tarlaíonn rudaí agus tarlaíonn siad an athuair.'

Fuair sé bualadh bos agus shuigh sé.

Sheasaigh an dara fear suas, le práta bán ar bharr a chloiginn aige, agus dúirt amach:

'Níl seo maith go leor agus ní raibh sé maith go leor. Má fhágann tú rud ar bith ina shuí fada go leor tiontóidh sé isteach ina chloch. Rinne mé sin le mo bhean uair amháin. Bhí sí ag caint an méid sin gur fhág mé í ina suí sa halla agus dhruid mé an doras uirthi. Nuair a tháinig mé ar ais, bhí sí imithe.'

Fuair sé bualadh bos dhá uair chomh mór. Shuigh sé.

Sheasaigh an tríú fear suas, le práta buí ar a cheann, agus dúirt:

'Níl. Níl. Níl sé maith go leor. Ní raibh sé maith go leor agus ní bheidh sé maith go leor. Bíonn an blas céanna ar gach rud. Fiú amháin prátaí. Ithim siúcra, bíonn blas áirithe as, ithim arán, an blás céanna. Ithim meacan, cál, tornapa — níl difear ar bith ann. Ólaim uisce — an blas ceannann céanna. Feoil, fuil, mealbhacáin. Nuair a itheann tú clocha an t-am ar fad titeann d'fhiacla amach. Nuair a bhíonn ort éisteacht le bréaga an t-am uilig, titeann do chluasa bodhar.'

Fuair sé bualadh bos trí huaire chomh mór.

D'umhlaigh sé agus shuigh.

Sheasaigh an ceathrú fear, le práta corcra ar a cheann, agus d'fhógair:

'Níl, níl, níl. Agus, ní nach bhfuil sé maith go leor, níl sé maith — in aon chor. Sin a bhfuil le rá agam.'

Fuair seisean an bualadh bos is mó den iomlán. D'umhlaigh sé go humhal agus d'iompair na daoine é ar a nguailneacha.

Bhí dúil acu uilig sa dath a bhí ar a phráta.

An Saol Mar a Bhí

Cha raibh a dhath ar bith ag gabháil an dóigh a bhfuil sé ag gabháil anois ... shiúlfadh muid 'na scoile costarnocht. Cha raibh bróga ná stocaí againn. Cha raibh carranna ann, cha raibh tramanna ann, cha raibh busanna ann. Bhí muid beo bocht.

Cha raibh a dhath againn. Ach, ag an am chéanna, bhí ár sáith d'achan rud againn ... bhí fuílleach prátaí againn, bhí fuílleach uibheacha againn, bhí fuílleach bainne againn. Bhí ár sáith againn, ach, cha raibh airgead ar bith againn.

Cha raibh na rudaí ag gabháil atá ag gabháil anois. Cha raibh leictreachas ann, cha raibh raidió ann, cha raibh teileafón ann. Bhí muid an dóigh a raibh muid — beo bocht.

Cha raibh airgead ar bith ag gabháil, agus cha raibh bia ar bith ag gabháil. Cha raibh aon ghreim bídh againn, agus dá mbeadh féin, cha raibh béal ar bith orainn. Cha raibh bróga againn, agus dá mbeadh féin, cha raibh cosa ar bith orainn. Cha raibh cosa orainn agus cha raibh lámha orainn, agus dá mbeadh béal féin orainn, cha raibh fiacail ar bith againn agus cha raibh teanga ar bith againn. Cha raibh putógaí againn.

Cha raibh corp ar bith againn.

Ach, muna raibh féin ... bhí muid haipidheáilte.

Is cuimhin liom, lá amháin, i ndiaidh domh siúl i rith an

bhealaigh 'na bhaile ón scoil costarnacht, dúirt mé le mo mháthair gur mhaith liom cloigeann. Agus fuair mé cloigeann. Agus ba sin an lá a ba lúcháire a chaith mise go fóill. Bhí an oiread lúcháire orm go raibh cloigeann orm. Ansin, fuair mé cloigeann eile, agus bhí dhá chloigeann agam. Bhí mé iontach sásta. Ach, d'athraigh an saol go mór ó shoin. Níl rudaí an dóigh a raibh siad. Tá mé ag inse duit.

An Fear Marbh

Nuair a chuala Dan an búirtheach, ghlac sé tamall dó oibriú amach caidé a bhí i ndiaidh tarlú. Bhí an bloc iomlán, cúig thonna meáchain, i ndiaidh titim síos sa pholl ina raibh na fir ag obair. Chuir sé síos a bhróg agus lig inneall an chrainn tógála séideog challánach as, tharraing sé an maide stiúrtha agus teannadh na cáblaí. Go mall, sheasaigh an bloc agus d'éirigh sé in airde amach as an pholl. Nuair a chonaic sé nach raibh duine ar bith istigh faoin bhloc thug Dan altú do Dhia. Ní raibh cuma air go raibh aon duine gortaithe.

An mhaidin sin, bhí Dan muscailte i bhfad sular bhuail an t-aláram. Luigh sé ansin ag amharc ar an aer liath sa tseomra, ag éisteacht le hanáil throm a mhná céile. Mhothaigh sé na chéad mhochóirí ar an tsráid.

Le tamall anuas, bhí sé ag smaointiú ar an tseanbhaile. Corroíche mhusclódh sé as a chodladh le cuimhní a óige. Nuair a dhruid sé a shúile sa leaba an mhaidin sin chonaic sé doras glas sciobóil le dorn meirgeach air, bheir sé ar an dorn agus d'fhoscail an doras isteach go mall. Rith cearc amach ag scolargnaigh. Mhothaigh sé boladh an ghrabhair mónadh agus mún cait agus boladh na slaite saileoige a bhí chomh sóraíoch sin mar bholadh le coill earraigh i ndiaidh ceatha. Sa choirnéal i mbocsa adhmaid bhí éillín agus gach bíog astu.

Chuaigh sé anonn go dtí an bocsa agus síos ar a ghogaide leis agus d'éist le bíogarnach agus bogadach na n-éan beag. Amach an fhuinneog, bhí an ghrian ag teacht fríd dhuilliúr na gcrann agus chuir an solas breac sin lúcháir air. Maidineacha eile, tchífeadh sé cuibhrinn ghlasa le dreasóga ar gach taobh agus rithfeadh sé síos an cosán a bhí buailte amach aige fríd na dreasóga go dtí an tsruthán. Bhí am ann a raibh sé ina rí ar an áit sin, ach anois, níor mhair sé ach ina shamhlaíocht. Bhí a fhios aige go raibh an áit scriosta agus tithe úra tógtha ann, teaghlaigh úra ag fás aníos ann.

Bhí sé gléasta sular éirigh a bhean. 'Luigh leat, tá sé luath,' a dúirt sé, ach chaithfeadh sí éirí le cinntiú go raibh a bhricfeasta aige. Chuaigh sí síos an staighre roimhe ina gúna oíche agus chuir síos an citeal.

Thug sé leis an píosa a rinne a bhean dó an oíche roimh ré agus chuaigh sé amach a dh'obair den chéad uair le sé mhí. Níor shíl sé a dhath den turas dhá uaire suas an A1 go Yaxley, cúpla míle ó dheas ó Peterborough.

Thiomáin sé go cúramach. Bhí neart ama tugtha aige do féin don turas, ach bhí na bealtaí ag athrú i dtólamh agus bheadh air a bheith airdeallach. Ag gabháil suas an mótar-bhealach, amach as Londain, bhris an ghrian amach fríd na néalta ar a dheis go híseal agus chuir sé ina cheann na céadta maidineacha eile a raibh an radharc céanna roimhe. Ní raibh rud ar bith ab ansa leis ná néal na maidne ag scaipeadh óna intinn le héirí gréine agus ar feadh tamall gairid tháinig lúcháir ar a chroí agus mhothaigh sé beo. Bhí deoir na beatha ag preabadh ann agus mhothaigh sé solas na gréine ag síothlú síos isteach i ndoimhneacht a intinne.

An lá roimh ré a fuair sé an scairt. Innealtóir óg a ghlaoigh: Píopa gáis in Peterborough, rud inteacht a tháinig ar thiománaí an chrainn tógála. Bhí siad faoi bhrú. Bheadh sé ag déanamh gar mór daofa.

Ní raibh fiachadh air smaointiú air rófhada. Dúirt sé go mbeadh sé ann, d'fhéadfaí brath airsean.

Nuair a tharraing sé isteach chuig an tsuíomh, d'aithin sé Aodh Ó Dálaigh láithreach, an príomhmhianadóir as Tír Chonaill. Shiúil Aodh anall go dtí an carr chuige nuair a chonaic sé Dan ag éirí amach as, agus chroith sé lámh leis. 'Ligeadh amach tú!' arsa Aodh.

'Iomrá ar bith ar na fiche sin a thug mé duit an oíche ar an Holloway Road?' a dúirt Dan.

'Bhí tú ariamh cruaidh.'

'Nach bhfuil tú ag éirí róshean den amaidí seo?'

'Níl fear óg a choinneochadh cos liom.'

Is iomaí suíomh ar oibir siad air i gcuideachta, anuas fríd na blianta. Ba chuimhin leis a bheith in Tunbridge Wells leis sna seachtóidí agus ar oibreacha thuas in Warickshire sna hochtóidí. Bhí seomra acu le chéile in Basingstoke i dteach ina gcuirfeadh bean an tí suas deochanna daofa go maidin. 'Cuimhneach leat an bhean lóistín ar maraíodh a fear san airm i mBéal Feirste, shíl mé go mbeadh sibh pósta faoi seo!'

Ag obair ar Thollán Mhuir nIocht daofa, fuair Aodh an sac as fuipeáil a bhuaileadh ar an tsaoiste mianaigh i gceann de na tras-tholláin. B'éigean do scaifte fear Aodh a tharraingt de sula ndéanfadh sé leathmharú air. Bhí Dan ag tiomáint crann tógála ag an am agus níor chuala sé faoin eachtra go dtí níos moille sa lá. Bhí a fhios aige go raibh Aodh éadrom sa chloigeann agus go mbeadh sé chomh ramhar le molt nuair a ba mhian leis é. Bhí sé amuigh ag an tsaoiste air, dar le hAodh, agus fuair an fhearg an bua air. An oíche sin, sa teach leanna in Folkstone, dúirt sé le Dan: 'Char bhuail mé leath go leor ar an tSasanach shotalach. M'anam go raibh soc air a bhí furast a bhualadh.'

'Agus caidé a dhéanfas tú?'

'Gealladh obair domh ar phíblíne thuas in Albain. Seo, bí liom suas go Dún Éideann. Tá airgead measartha thuas ... níos fearr ná a bheith abhus anseo ag briseadh allais don scaifte Sasanach seo.'

'Nach ionann uilig é,' arsa Dan.

'Deacair tiománaí maith crainn a fháil, a Dan; fear stuama.'

'Tá an áit seo sásta agamsa, níl sé ach cúpla uair isteach go Londain tráthnóna Dé hAoine.'

Bhí Aodh ar shiúl lá arna mhárach. Bhuail sé isteach ann arís ar chúpla jab eile ó shin.

'An bhfuil lóistín agat, a Dan? Tá mé féin thíos sa Hog and Hound; tá neart spáis ann.'

'Tá mé ag déanamh go ndéanfaidh mé an turas isteach go Londain. Bíonn sí 'mo chronú, tá's agat féin,' arsa Dan.

'Caith síos an chairt, mar sin, a Dan, agus má fhaighimse sé troighe déag tochailte inniu gheobhaidh muid uilig 'na bhaile luath. Gheall mé dhá phíopa a chur sa talamh nó fanacht go dtí an seacht.'

Chuaigh Dan in airde sa chrann tógála agus mhuscail sé an t-inneall. Lig an seaninneall calc toite as gur théigh sé. De réir a chéile thoisigh an buachaill mianaigh na hinnill ar an tsuíomh; gineadóirí agus comhbhrúiteoirí, agus líonadh an láthair le trup. Chas Dan thart an crann tógála agus chuir an buachaill mianaigh na slabhraí ar an chairt salachair.

Níor aithin Dan an buachaill mianaigh agus nuair a chonaic sé é ag crochadh na slabhraí mícheart ar an chairt, tháinig sé anuas ón chrann gur thaispeáin sé an dóigh cheart lena dhéanamh.

'Caithfidh na slabhraí a theacht anuas cothrom, an bhfeiceann tú? Má bhíonn siad i bhfostó ar bhealach ar bith, tá dainséar go dtitfidh ceann acu amach.'

Chuala siad an aerphiocóid ag creathadh an aeir sa tollán agus dheifrigh Dan ar ais go dtí an crann leis an chairt a ligint síos sa pholl. Bhí siad meabhrach gan moill a chur ar an mhianadóir.

Ní raibh sé i bhfad go raibh an chéad chairt salachair amuigh as an tollán. Créafóg chrua thirim le corrchloch fríthi. Talamh maith mianadóireachta, dar le Dan. Bheadh a sháith le déanamh ag an bhuachaill mianaigh coinneáil suas le hAodh.

Bhí an poll mar thobar ciorclach a bhí deich méadar ar doimhne agus ag bun an phoill bhí béal an tolláin. Leathchéad meadar síos an tollán cúng bhí Aodh ag strócadh leis ar an chréafóg lena acra. Ní mó ná go raibh Dan in inmhe bun an tobair a fheiceáil óna chábán. Ach ligfeadh Dan an crúca síos ar bhonn airgid lena shúile druidte dá n-iarrfaí air é.

Dhingfeadh an buachaill mianaigh an chairt isteach ar rálacha chuig Aodh sa tollán agus tharraingeodh sé ar ais é leis an chrann tochraiste i gceann deich mbomaite nuair a bheadh sé lán. Níor thuig Dan ariamh cén dóigh a gcuirfeadh an mianadóir suas le leithéid d'obair mhaslach, gan solas gréine a fheiceáil ó thús deireadh lae.

Thóg Dan an chairt aníos ón pholl go faichilleach leis an chrann tógála agus nuair a bhí barr an phoill glanta ag an chairt, thug sé thart an crann. Bhí an buachaill mianaigh leis féin agus bhí air reath aníos an dréimire le dhá shlabhra a scaoileadh ón chairt lena chur béal faoi.

Nuair a fuair sé an chairt ar ais sa pholl scaoil an buachaill na slabhraí agus thóg Dan an bloc agus an crúca san aer go raibh siad díreach amach os a choinne agus díreach os cionn an phoill; sa dóigh sin, bhí sé réidh leis an chéad chairt eile a fholmhú gan moill ar bith.

Bhí ocras air agus é buíoch anois den ubh a bhruith a bhean dó ar maidin. Bhain sé an ubh ón bhocsa lóin agus bhain an bhlaosc di. Chuir sé coscán an fhir mhairbh i bhfeidhm ar an chrann tógála.

Tháinig an t-innealtóir óg i láthair agus chuir é féin in aithne. D'iarr sé a chuid páipéar agus a chárta tiomána agus chonaic go raibh rudaí in ord. Bheadh ar Dan freastal ar rang insealbhaithe, a dúirt sé. Gnáthrud. Dhéanfadh siad ag am lóin é agus ní ghlacadh sé i bhfad.

In amanna mar seo a chronaigh sé na toitíní. Ar an stiúir, bhíodh Sweet Afton crochta leis i gcónaí agus rollóga toite a dhalladh, ach níor chaith sé anois le dhá bhliain. Rinne sé dearmad an cúisín a bheith leis ón charr agus bhí an suíochán crua ar a chnámha; gheobhadh sé é ag am tae, a smaointigh sé. Smaointigh sé nár labhair sé lena iníon le tamall. I mBriostó a bhí sí, ina banaltra. Teach úr ceannaithe aici. Labharfadh sí féin is a máthair go minic.

Bhí a fhios aige ón trup a bhí ag teacht ón tollán go raibh an mianadóir ag obair ar phraghas agus seo amach cairt eile. Ar an táin seo, ní bheadh sé i bhfad go mbeadh siad ag cur píopa eile leis an tollán. Láimhseáil sé an crann go humhal éasca. Bhí a shaol caite aige ar innill mar an sean-30-RB seo, ach ba ghairid anois go mbeadh an crann céanna curtha as úsáid ag na cinn úra nua-aimseartha. Lig sé síos an chairt fholamh.

Tharraing sé air laetha a óige. Bhí stoc eallaigh ag a athair a thóg siad le ramhrú. Ba chuimhin leis a mháthair ag caoineadh an lá ar tugadh ar shiúl an bhó riabhach. Níor chuimhin leis go bhfaca sé ag caoineadh ariamh roimhe í. D'imigh sé féin leis go Sasain, sula raibh ann dó, le stór a dhéanamh. Dúirt an máistir leis, lá amháin, os coinne an ranga: 'Caidé'n mhaith scolaíocht duitse, nuair nach bhfuil romhat ach a bheith ag rómhar na sráideacha thall fá Shasain? Cuirfear ar an bhád thú cosúil le stoc d'athara.' B'fhíor dó. Ach tháinig seisean anall ar a chonlán féin i ndiaidh a mháthair bás a fháil agus murab ionann leis an bhó riabhach, ní raibh duine ar bith ag caoineadh ina dhiaidh.

Ansin a d'éirigh an racán. Dhírigh Dan é féin agus bheir ar a stuaim. Bhí an ulóg i ndiaidh titim agus an rud iomlán ina chnap thíos i mbun an phoill. D'fhoscail sé amach an t-inneall agus tharraing sé an maide stiúrtha. D'éirigh an bloc. Bhí an t-innealtóir agus an buachaill thíos sa pholl, duine ar achan taobh den bhloc. Thit an bloc síos díreach eatarthu.

Choimhéad siad air ag tógáil an bhloic san aer agus nuair a bhí an bloc amuigh as an pholl, thug sé thart an crann agus lig sé don ulóg crochadh gar don talamh. Chaithfeadh sé gur coscán an fhir mhairbh a bhí lochtach, a smaointigh sé, nó gur thóg sé a chos den choscán. D'éirigh sé agus chrom síos ar ghlúin amháin go bhfeicfeadh sé meicníocht an fhir mhairbh. Sheiceáil sé na coscáin. Bhí siad lán meirge agus righin ach ní raibh siad ródhona. Ghreamódh an coscán thall agus abhus, thug sé fá dear, agus bheadh air á scaoileadh lena bhróg, ach sin mar a bhí na seanchrainn. D'éirigh sé agus sula raibh faill aige coscán an fhir mhairbh a sheiceáil ar an druma tochrais ar chúl an chrainn, bhí an t-innealtóir abhus agus é ag scairtí aníos air. D'fhoscail sé an doras: 'Caidé a tharla? Chuaigh sin de leathorlach de mo cheann, ach gurb é gur léim mé....' Choinnigh sé leis ag caint go tógtha le Dan. Bheadh orthu an suíomh a dhruid síos, a dúirt sé ... tuairisc a dhéanamh. Cuid mhór ceisteanna. Ní raibh Dan cinnte caidé a tharla, ach chonaic sé na coscáin ag sleamhnú ar na crainn seo roimhe, a dúirt sé.

'Nach bhfaca tú é ag titim?' arsa an t-innealtóir.

'Tá coscán an fhir mhairbh sin lochtach,' arsa Dan, '... agus an coscán é féin, tá sé tugtha do ghreamú.'

'Bheadh an péire againn marbh dá mbeadh muid faoi. Caithfear meicneoir a fháil amach le mionscrúdú a dhéanamh. Agus é a chóiriú. Beidh orm tuairisc shábháilteachta a scríobh. Agus gan tú insealbhaithe....'

'Ní sin mo lochtsa....'

Leis sin chonaic sé Aodh ag teacht aníos as an pholl.

'Caidé tá ár gcoinneáil?'

Mhínigh an t-innealtóir an scéal d'Aodh.

'Agus an bhfuil sí ábalta lód a iompar?' arsa seisean ag amharc ar an chrann.

'Tá.'

'Bhal. Caidé'n seasacht thart atá oraibh?'

'Dhóbair gur maraíodh fear againn,' arsa an t-innealtóir.

''Bhfuil aon duine gortaithe?'

Níor dhúirt an t-innealtóir a dhath.

'Gread oraibh, mar sin. Neart ama a bheith ag geaibíneacht níos moille.'

Ansin labhair an t-innealtóir go corraithe: 'Níl an crann sin ag bogadh go dtig an meicneoir agus go n-insíonn sé domhsa go bhfuil an crann sábháilte.'

D'amharc Aodh ar Dan.

'Tá an fear marbh uirthi lochtach,' arsa Dan.

Bhí an chuil ar Aodh. 'Déanfaidh muid an bricfeasta ... agus b'fhearr don chairt fholamh a bheith thíos sa pholl ag pilleadh domhsa.'

D'imigh sé féin agus an buachaill i dtreo an cheaintín.

Chuaigh an t-innealtóir le Dan go n-amharcfadh siad ar an ghléas tógála ar chúl an chrainn. Thaispeáin Dan dó chomh righin leis an druma. 'Dhéanfadh sé gnoithe le bealú maith. An bhfeiceann tú an mheirg!' arsa Dan.

'Ba chóir di gnoithe maith a dhéanamh, tá na scrúduithe pasáilte aici agus na páipéir le ghabháil leis.'

Shocraigh siad an chairt a fholmhú fhad is bhí na fir ag a mbricfeasta. Chuaigh an t-innealtóir síos sa pholl agus chroch sé na slabhraí. Reath sé aníos an dréimire arís sula ligfeadh sé do Dan an chairt a thógáil in airde.

I ndiaidh am bricfeasta tháinig an meicneoir agus scrúdaigh sé an crann. Chaith sé seal maith istigh ar chúl ag amharc ar an druma agus ar na giaracha.

'Tá an fear marbh fabhtach,' arsa Dan leis. 'Chonaic mé sin roimhe orthu.'

Níor dhúirt an meicneoir dadaidh. Sasanach beag staidéartha a bhí ann. Bhí an meas céanna aige ar innealra agus bheadh ag tréidlia ar ainmhithe. Bhí sé críochnúil agus ní thabharfadh sé a bharúil go raibh achan rud measta aige i gceart.

Thaispeáin Dan an mheirg dó.

Nuair a bhí na scrúduithe déanta, shiúil an meicneoir agus an t-innealtóir go dtí an carr ag caint eatarthu féin. Phill an t-innealtóir le píosa páipéir.

'Caidé a dúirt sé?' arsa Dan.

'Tá an fear marbh fabhtach,' arsa an t-innealtóir.

'Nár dhúirt mé leat é. Chonaic mé sin roimhe sna meaisíntí sin.'

'Tá sé ag gabháil a fháil páirt úr, cuirfidh sé isteach é i ndiaidh am dinnéara.'

'San am atá i láthair caidé fán chairt sin atá lán ... agus tá píopa le tógáil síos?'

'Tóg aníos an chairt agus obair leat mar is gnách ... ach bí cúramach. Ná bíodh duine ar bith sa pholl agus tú ag iompar.'

Chuaigh Dan ar ais a dh'obair go míshásta agus d'imigh an t-innealtóir ina charr. Phill an meicneoir agus chuir sé cábla úr ar an fhear mharbh. Choinnigh an mhoill siar iad agus níor éirigh le hAodh an dá phíopa a fháil sa talamh an tráthnóna sin.

Roimh a seacht, tharraing carr an innealtóra isteach sa chlós. Amach leis agus shiúil sé thart ag caint ar a fhón póca. Tháinig sé anall chuig Dan sa chrann. D'fhoscail Dan an doras.

'Éist, a Dan. Ní bheidh tú de dhíobháil orainn amárach anois, tá an fear eile ag tiomáint ar ais anuas as Mansfield anocht.'

D'amharc Dan sa dá shúil ar an innealtóir.

Shín an t-innealtóir clúdach litreach chuige: 'Clúdóidh sin do shaothar. Cuirfidh mé scairt ort arís má bhíonn a dhath ag dul.' Chas sé ar a sháil agus d'imigh sé.

Chuir Dan an clúdach litreach ina phóca. Beart folamh, dar leis. Mhothaigh sé gur cheart dó an t-innealtóir a leanstan agus rudaí a mhíniú.

Bheadh sé i ndiaidh a naoi anois ag pilleadh ar Londain dó agus bheadh an dinnéar déanta réidh ag a bhean. Prátaí, glasraí agus píosa deas feola, agus, mar ba ghnách, milseog le huachtar reoite. Ansin, chuirfeadh sé scairt ar a iníon. Bhí sé in am aige scairt a chur uirthi, a dúirt sé leis féin, agus b'fhéidir fiú rása a thabhairt anonn chuici ceann de na laetha seo, é féin agus a bhean. Sin an rud a dhéanfadh sé. B'fhéidir fiú deireadh seachtaine a dhéanamh de. Shuigh sé isteach sa charr agus thiomáin amach as an tsuíomh sula dtiocfadh Aodh amach as an bhoth. Tchífeadh sé arís é am inteacht eile.